La Santé
du chien

La Santé du chien

Questions et réponses

KÖNEMANN

Copyright © 1999 Weldon Owen, Inc.
Rédaction : Matthew Hoffman
Collaboration : Lowell Ackerman, Susan McCullough, Brad Swift, Kim Thornton, Elaine Waldorf Gewirtz, Christine Wilford

Titre original : *Symptoms and Solutions*

Copyright © 2006 pour l'édition française: Tandem Verlag GmbH
KÖNEMANN is a trademark and an imprint of Tandem Verlag GmbH

Réalisation : Les Cours, Caen
Lecture : Cécile Carrion

Imprimé en Allemagne

ISBN 3-8331-1392-8 (de l'édition française)
ISBN 3-8331-1294-8 (de l'édition originale allemande)

10 9 8 7 6 5 4 3 2 1
X IX VIII VII VI V IV III II I

La Santé du chien

RÉDACTEURS

Matthew Hoffman, Lowell Ackerman, Susan McCullough, Brad Swift,
Kim Thornton, Elaine Waldorf Gewirtz, Christine Wilford

Sommaire

PERMIÈRE PARTIE

MALADE
ET BIEN PORTANT

DEUXIÈME PARTIE

LA SANTÉ
DU CHIEN

Introduction

À moins d'avoir la chance de compter un vétérinaire parmi les membres de votre famille, tout changement dans le comportement habituel de votre chien soulèvera un grand nombre de questions. Est-ce sérieux ? Souffre-t-il ? Faut-il appeler le vétérinaire ?

Personne ne veut ignorer quelque chose qui pourrait être grave. Par ailleurs, pourquoi se précipiter aux urgences en cas de problème mineur ?

J'ai commis ces deux erreurs. Il y a environ un an, je me suis réveillé à minuit parce que Molly, mon labrador, était en train de vomir dans un coin de ma chambre. J'allumai la lumière et découvris une belle saleté sur le tapis. Elle faisait tellement d'efforts que j'avais peur qu'elle ne se fasse du mal. Je l'emmenai précipitamment aux urgences vétérinaires à l'autre bout de la ville. « Les chiens vomissent tout le temps » me dit le praticien après avoir rapidement examiné Molly. « Elle a mangé quelque chose qui ne lui a pas réussi, c'est tout. »

En effet. À peine sortie du cabinet de consultation, Molly était dans une forme éblouissante et respirait le bonheur – et moi, j'étais très vexé de m'être comporté comme un papa-poule.

Je me suis rappelé cette nuit-là quand, quelques mois plus tard, j'ai remarqué que Molly avait du mal à uriner. Elle n'avait pas l'air de souffrir, et j'ai donc décidé que ça n'était pas grave. Elle demandait sans cesse à sortir, mais une fois à l'extérieur elle ne faisait rien. Il s'avéra que Molly avait un calcul à la vessie. Elle ne s'en serait peut-être pas sortie si j'avais attendu beaucoup plus longtemps. Il s'en est fallu de peu.

Quiconque aime les chiens doit sans cesse faire face à ce dilemme. Ils ne peuvent pas dire ce qui ne va pas et où ils ont mal. C'est à nous de remarquer des symptômes et de choisir si oui ou non il faut s'en remettre à un professionnel. Il arrive que la décision soit facile. En général, on ne s'inquiète pas trop si un chien a une coupure à la patte ou une petite diarrhée. Mais s'il y a du sang dans la diarrhée ? Et si sa truffe a changé de couleur, s'il a de la fièvre ou n'a pas mangé de la journée ? Jusqu'ici, aucun livre n'a expliqué comment identifier des symptômes courants, ni indiqué la façon de réagir.

Symptômes et solutions est peut-être l'ouvrage le plus important que vous posséderez jamais sur les soins à prodiguer aux animaux de compagnie, car il décrit plus de cinquante parmi les symptômes les plus fréquents : de la perte d'appétit, le sang dans les urines jusqu'aux changements dans les selles et la perte de poids. Vous apprendrez quels symptômes peuvent être traités à la maison, et ceux qui nécessitent une intervention d'urgence ou l'avis d'un vétérinaire. Vous apprendrez aussi à aider votre chien à guérir.

Supposons que votre chien se mette subitement à loucher. Neuf fois sur dix, cela veut dire qu'il a du sable dans l'œil, et vous pouvez le lui ôter avec du sérum physiologique. Mais le strabisme peut aussi être un symptôme d'un glaucome qui entraînera la cécité s'il n'est pas traité rapidement. *Symptômes et solutions* vous permettra de faire la différence.

Cet ouvrage est bien plus qu'un guide des symptômes. Il propose quantité de traitements pratiques et efficaces, des choses que vous pouvez faire à la maison pour aider votre chien à aller mieux, et soigner aussi le problème sous-jacent. Une simple « cure d'eau » peut éliminer le sang des urines. Des antihistaminiques arrêteront les symptômes allergiques. Vous apprendrez comment le débarrasser des vers. Un régime remédiera à un pelage trop sec ; et mille choses encore.

Pour rendre ce livre vraiment pratique et facile à utiliser, nous y avons inclus plus de 140 photos en couleurs et illustrations, ainsi que de bons conseils suggérés par les plus grands vétérinaires américains. Vous apprendrez aussi à rester attentif à des changements que vous n'aviez sans doute jamais remarqués auparavant – tous ces petits signes et signaux qui vous permettront de savoir quand votre chien ne va pas bien et a besoin de votre aide.

Mais surtout, *Symptômes et solutions* vous donnera confiance. Si votre chien tombe malade ou souffre, vous serez capable de localiser le problème rapidement, et vous saurez quoi faire. Et quand on aime son chien, il n'y a rien de mieux.

Matthew Hoffman

Matthew Hoffman

PREMIÈRE PARTIE

MALADE OU BIEN PORTANT?

Personne mieux que vous ne connaît les habitudes, les humeurs, les goûts et les dégoûts de votre chien. Vous remarquerez immédiatement les modifications de son comportement, et tous les changements qui peuvent fournir des renseignements précieux sur ce qui ne va pas.

CHAPITRE PREMIER

INTERPRÉTER LES SYMPTÔMES

Les chiens n'ont pas de clignotants pour nous dire qu'ils sont malades, et il n'est jamais facile de dénoter si leurs symptômes sont sérieux ou pas. Mais si vous savez à quoi il faut être attentif, vous pourrez deviner précisément ce qui ne va pas.

On emmène en général son chien une ou deux fois par an chez le vétérinaire, pour des vaccins ou un contrôle. Les examens annuels sont essentiels, mais il y a des limites à ce qu'un vétérinaire peut détecter au cours d'une visite d'une demi-heure. Si un chien a eu quelques petites douleurs, mais va très bien le jour où on l'examine, son vétérinaire ne pourra pas se douter qu'il a des problèmes de hanche ou un début d'arthrite, et l'entourage du chien l'ignorera aussi, à moins d'avoir méticuleusement noté ce qui concerne sa santé. C'est pourquoi il est si important de savoir interpréter les symptômes.

« Il existe de nombreuses définitions compliquées du symptôme, mais en principe il s'agit de tout changement perceptible » dit Joanne Howl, vétérinaire. « Les symptômes peuvent être physiques, comme le nez qui coule ou la claudication, mais il arrive aussi qu'ils se manifestent dans le comportement, avec de l'agitation par exemple. Cependant, toutes les modifications qui interviennent dans la vie d'un chien ne sont pas obligatoirement des symptômes. Il faut que le changement soit anormal » dit le docteur Howl. Un chien qui se met à haleter quand la température monte n'a évidemment pas un symptôme. En revanche, un halètement sans raison évidente peut être un symptôme. « Un symptôme, c'est la maladie qui fournit un petit indice » dit ce même vétérinaire.

Types de symptômes

« En plus des examens réguliers que subit votre chien chez le vétérinaire, ce que vous pouvez faire de mieux pour sa santé, c'est apprendre à déchiffrer ses symptômes » dit Robin Downing, vétérinaire. Ce qui ne veut pas dire que vous devez tout savoir sur l'ensemble des symptômes existants. Il s'agit de deviner judicieusement. Un symptôme est-il vraiment sérieux ? Disparaîtra-t-il ou empirera-t-il ? Faut-il appeler votre vétérinaire aussitôt, ou cela peut-il attendre le lendemain ?

On peut avoir du mal à interpréter les symptômes isolés, mais en apprenant quelques principes généraux, vous aurez une idée très juste de leur gravité, et vous pourrez décider s'il faut agir, vite, sans tarder, ou si vous avez de la chance, pas du tout.

Est-ce normal ? L'une des raisons pour lesquelles les symptômes sont difficiles à interpréter, c'est qu'ils sont des cibles mobiles. « Ce qui est un symptôme chez un chien ne le sera pas chez un autre » dit le docteur Howl. « Si votre chien a le nez qui coule, il faut vous demander si c'est normal chez lui. Certains chiens ont le nez qui coule et d'autres pas. Si d'habitude son nez ne coule pas, là c'est un symptôme. »

Que se passe-t-il d'autre ? Après trois jours à l'école vétérinaire, les étudiants apprennent qu'un symptôme isolé, dissocié d'autres manifestations physiques ou émotionnelles, est pratiquement dépourvu de signification. Ce pourquoi les vétérinaires n'arrêtent pas leur diagnostic à la seule description d'un symptôme ; c'est là que les questions commencent vraiment. Imaginez que votre chien soit légèrement fiévreux. S'il ne se passe rien d'autre - il n'a pas la diarrhée, il est plein d'énergie, mange bien, il a un beau pelage - votre vétérinaire pourra très bien conclure que la fièvre est une simple élévation de sa température habituelle et qu'il ne faut pas s'en faire. Mais si cette fièvre s'accompagne d'un autre ou de plusieurs symptômes, cela est plus significatif.

Est-ce local ou général ? « C'est une question très importante parce qu'elle vous aide à comprendre à quel degré votre chien est malade. Ce n'est pas une règle absolue, mais les symptômes qui se manifestent localement - c'est-à-dire en un seul endroit - ont tendance à être moins graves que ceux qui affectent l'état général » dit le docteur Howl. Un chien qui a la truffe tout endolorie, par exemple, peut souffrir des conséquences de l'avoir utilisée comme une pelle. Un chien qui a mal partout et qui montre d'autres symptômes, comme la fièvre, a un problème plus grave.

Il se peut, bien sûr, que des symptômes localisés soient sérieux. Le cancer causé par l'exposition au soleil, par exemple, peut provoquer une douleur unique. On ne peut donc pas conclure que les symptômes isolés sont sans conséquences. La connaissance des symptômes locaux et des symptômes généralisés vous aidera à avoir une vue plus globale de l'état de santé de votre chien.

Est-ce aigu ou chronique ? Les symptômes qui se manifestent subitement s'appellent des symptômes aigus, tandis que les symptômes chroniques peuvent mettre des mois ou des années pour se constituer. Les symptômes apparaissent souvent de manière différente selon qu'ils sont aigus ou chroniques. « Ceux qui sont dramatiques et adviennent brutalement nécessitent en général une intervention urgente - et disparaissent souvent avec la même rapidité » dit le docteur Howl. « Ceux qui se révèlent lentement peuvent être plus difficiles à enrayer. »

« Un bon exemple de symptôme aigu, c'est une coupure à la patte. Elle est apparue soudainement, et même si l'entaille est profonde elle ne sera pas difficile à traiter. Au contraire, l'arthrite est un état chronique qui débute petitement, mais empire graduellement. Elle est plus difficile à soigner que les problèmes aigus, pour deux raisons : il y a non seulement le mal initial affectant l'articulation, mais

Votre vétérinaire ne voit votre chien qu'une ou deux fois par an, tandis que vous le côtoyez tous les jours. Il faut vous fier à votre instinct et dire à votre vétérinaire tout ce qui vous préoccupe.

aussi durant les années où l'arthrite a été présente, le corps aura appris à la combattre, et cette lutte aggrave le problème d'origine » dit le docteur Howl.

Est-ce intermittent ou constant ? Vous pouvez deviner juste à propos des causes des symptômes en remarquant s'ils vont et viennent, ou bien sont permanents. « Si votre chien boite, et s'il continue de boiter pendant une semaine, cela veut sans doute dire qu'il s'est blessé » dit ce vétérinaire. « Si cette claudication est épisodique, elle concerne le corps tout entier, et elle peut être due à l'arthrite ou à la maladie de Lyme. »

Les symptômes classifiés

Les vétérinaires possèdent de longues listes de symptômes qui sont presque tous sérieux, comme les saignements permanents, les très fortes fièvres, ou le gonflement de l'abdomen. La plupart des chiens ne connaîtront jamais l'un de ces symptômes extrêmes et évidents. Au contraire, ils auront un symptôme ou une combinaison de symptômes que vous ne réussirez peut-être pas à identifier. Allez-vous courir chez votre vétérinaire ou bien attendre tranquillement de voir ce qui se passe ? Vous ne pouvez pas non plus être sûr que ce que vous constatez est un symptôme ou un changement normal, bien qu'inhabituel. « Le meilleur indice c'est quand votre chien ne va pas bien » dit le docteur Howl. « Le chien ne peut pas vous dire ce qui ne va pas, mais il ne peut pas non plus vous mentir. Quand il broie du noir, cela signifie qu'il se sent très mal, et c'est tout à fait justifié d'appeler votre vétérinaire. »

C'est vrai que certains chiens sont plus stoïques que d'autres. Un Rottweiler très costaud peut très bien boiter horriblement s'il est blessé à la patte, tandis qu'un caniche nain fera semblant que tout est normal, alors qu'il sera brûlant de fièvre.

Ce n'est pas une approche scientifique, mais le docteur Howl possède une technique particulière pour lire entre les lignes. « La meilleure manière pour savoir ce qui se passe, c'est de vous mettre à la place de votre chien » dit-elle. « S'il s'est blessé au museau, et que vous redoutiez d'avoir la même meurtrissure, c'est là que vous avez besoin d'aide. Bien que les chiens soient différents des gens, leurs corps réagissent de façons très semblables. »

CHANGEMENTS ÉMOTIONNELS, SIGNES PHYSIQUES

On a tendance à considérer que les symptômes sont physiques, comme une coupure ou de la fièvre. Mais ils peuvent aussi affecter le comportement, sous forme d'agressivité, de troubles du sommeil, ou d'une profonde fatigue. De nombreux changements de comportement signifient que les chiens sont inquiets, anxieux, ou stressés, mais il arrive que ce soient des indices de problèmes physiques. Un chien léthargique, qui ne mange pas et qui broie du noir, peut très bien souffrir d'une pancréatite, d'une maladie de la thyroïde, et même avoir des vers dans le cœur. Même si le problème sous-jacent est émotionnel ou relève du comportement, les symptômes, comme ne plus manger, risquent de rendre un chien malade. C'est pourquoi les vétérinaires recommandent un bilan de santé si leur attitude ne se modifie pas au bout de quelques jours.

CHAPITRE DEUX

QUAND VOIR LE VÉTÉRINAIRE ?

Personne ne veut ignorer un symptôme qui pourrait être grave, ni ne souhaite non plus se précipiter chez le vétérinaire une fois par semaine. La connaissance de quelques symptômes fréquents vous aidera à différencier ce qui est sérieux de ce qui ne l'est pas.

Si l'on emmenait son chien chez le vétérinaire chaque fois qu'il ne va pas bien, ou qu'on l'imagine malade, on passerait son temps à faire la navette. Les chiens ont toujours quelque chose : ils vomissent, ont la diarrhée, ou bien s'écartent de leur nourriture le regard embué – ce qui angoisserait même les gens les plus sereins.

Mais mis à part un rhume ou une indigestion occasionnels, les chiens ont une énorme résistance qui se maintient souvent tout au long de leur vie. Leurs propriétaires ont à peine le temps de se préoccuper d'une petite anomalie qu'il se passe déjà quelque chose de plus grave.

Ce qui importe, c'est de garder son chien en bonne santé, et donc de détecter suffisamment tôt les problèmes potentiels, et ça n'est pas toujours facile. « Les vétérinaires ont aussi parfois du mal à faire la différence entre un symptôme sérieux et une petite anomalie passagère » dit Craig N. Carter, chef d'un service d'épidémiologie.

Les gens qui vivent, qui jouent, et qui se baladent avec leurs chiens peuvent dire très vite si tout va bien, ou pas vraiment.

Fiez-vous à votre instinct

D'une certaine manière, les propriétaires de chiens ont un avantage sur les vétérinaires : ils vivent quotidiennement avec eux et peuvent donc dire immédiatement si leur comportement a changé. « Les

vétérinaires sont des observateurs très bien rodés, mais ils ne voient leurs patients qu'une ou deux fois par an » dit le docteur Carter. D'où la difficulté de savoir si le comportement d'un chien est normal ou non.

« Je dépends beaucoup des propriétaires et de leurs interprétations » dit Ken Drobatz, professeur de médecine vétérinaire. « Les gens connaissent leur chien bien mieux que le vétérinaire. »

L'intuition a bien sûr des limites. Si les symptômes de votre chien vous rappellent quelque chose, vous aurez beaucoup plus confiance en vous pour décider ou non de la nécessité d'une consultation vétérinaire. Mais dans d'autres cas, les symptômes seront inhabituels ou trop graves pour que vous preniez des risques. « Il faut demander de l'aide chaque fois que la situation est nouvelle » dit le docteur Carter.

Neuf symptômes inquiétants

Les vétérinaires ont identifié des milliers de symptômes et de combinaisons de symptômes provoqués par des situations différentes. Il est bien sûr inutile de les connaître tous, votre vétérinaire est là pour ça. Mais vous devez être au courant de ceux qui nécessitent une aide.

Problèmes de respiration. C'est l'un des plus faciles à reconnaître, mais aussi le plus dangereux. « Les chiens qui halètent lourdement quand ils sont au repos, ou qui cherchent leur souffle peuvent avoir des problèmes cardiaques ou pulmonaires » dit Elizabeth Rozanski, spécialiste des urgences vétérinaires

« Même si la cause de ce symptôme n'est pas sérieuse, les difficultés respiratoires risquent de réduire le flot d'oxygène arrivant au cœur et autres organes, et de laisser des séquelles pour toujours. Une intervention rapide s'impose donc » dit le docteur Rozanski.

Gencives pâles. « Comme dans le cas des problèmes respiratoires, la pâleur des gencives indique que les tissus ne reçoivent pas assez de sang et d'oxygène. Excepté chez les chiens dont les gencives sont naturellement sombres, elles doivent être rose vif. De nombreux états, dont les hémorragies internes et les maladies cardiaques, peuvent

provoquer cette situation qui nécessite presque toujours des soins d'urgence » remarque le docteur Rozanski.

Fatigue inhabituelle. Les chiens connaissent des hauts et des bas dans leur énergie, tout comme les gens, et oublions le nombre de fois où ils veulent faire demi-tour pendant leur promenade, ou tardent à se lever le matin. Mais un état de fatigue se prolongeant au-delà d'un jour, ou bien s'il paraît grave, nécessite de prendre contact avec votre vétérinaire. « Beaucoup parmi les chiens qui ont de gros problèmes de santé restent léthargiques pendant plus de deux jours, » déclare le docteur Rozanski.

Gonflement de l'abdomen. Ne vous faites pas trop de souci à ce sujet si vous avez un petit chien, mais les grandes races ou à large poitrail, comme les grands Danois ou les Pinschers dobermans sont très susceptibles de ballonnement ; leur estomac se remplit soudain de gaz et se dilate.

« Le ballonnement est toujours une situation d'urgence, et il peut se produire en quelques heures. Il faut absolument en connaître les signaux d'alerte : gonflement de l'abdomen, agitation, respiration lourde et pénible » dit le docteur Rozanski.

Blessures brutales. « Les chiens sont souples, costauds, et leur pelage les protège, ce pourquoi ils peuvent résister à des accidents violents, ou être touchés par une voiture sans qu'il n'y ait aucune trace. Mais les apparences sont trompeuses. Tout objet ayant heurté un chien suffisamment fort pour le renverser a pu provoquer des blessures internes dont les symptômes ne se révéleront peut-être que des heures ou des jours après. Peu importe si votre chien va très bien suite à un accident. Demandez quand même un check-up » conseille le docteur Rozanski.

SYMPTÔMES ÉTRANGES

On admet en général que la Nature a constitué le corps en prenant soin de tout, et que les symptômes sont toujours de précieuses sonnettes d'alarme. C'est vrai la plupart du temps, mais les chiens font un certain nombre de choses que l'on est bien obligé de qualifier d'étranges. Par exemple :

- **L'éternuement inversé.** Les chiens émettent périodiquement un bruit qui ressemble un peu à « houzi » quand de l'air pénètre dans leur nez bruyamment. Les vétérinaires l'appellent l'éternuement inversé – mais il peut être causé par des allergies chroniques.

- **Manger des excréments.** Presque tous les chiens ont mangé des excréments, soit les leurs, soit ceux d'autres animaux domestiques. Mis à part le fait d'accroître les risques d'attraper des parasites, il n'y a pas de raison de s'inquiéter.

- **Nœud sexuel.** Après l'accouplement, les muscles de la femelle se contractent et le pénis du mâle gonfle. Le « lien » qui en résulte peut les réunir pendant trente minutes ou plus – sans doute pour accroître les chances de conception. Le spectacle est étrange, mais normal, et la majorité des chiens se libéreront d'eux-mêmes. Sinon, vous pouvez tenter de poser des glaçons sur les testicules du mâle.

Inhalation de produits chimiques. Les chiens mettent leur nez partout, y compris dans les produits chimiques que l'on conserve au garage ou sous l'évier. Même si ce qu'ils ont mangé n'est pas marqué « poison », il existe quand même un risque de toxicité. Vous devrez sans doute intervenir en moins d'une heure pour envisager un traitement.

À moins que vous n'ayez vu votre chien lécher une flaque ou que vous l'ayez pris le nez dans le sac, il est très difficile d'identifier un empoisonnement.

Faites attention si vous remarquez une bouteille renversée ou un paquet déchiré. Certains chiens garderont dans leur haleine l'odeur d'un produit chimique, ou bien auront le vertige et vomiront.

Graves problèmes digestifs. Du fait de leur appétit téméraire, certains chiens souffrent de dérèglements digestifs assez fréquents. Des vomissements et des diarrhées occasionnels ne sont pas problématiques chez la majorité d'entre eux. Mais ils peuvent l'être pour les chiots. « Les chiots n'ont pas beaucoup de réserve, ils risquent de se déshydrater ou de manquer très vite de sucre dans le sang, » explique le docteur Rozanski. « Les vomissements ne doivent pas avoir lieu plus d'une fois par heure, ni six fois sur une période de huit heures, » ajoute-t-elle.

Difficultés pour uriner. « On s'accorde à dire que les chiens urinent trop souvent, surtout si on est pressé. Mais un chien qui a du mal à uriner peut avoir un problème rénal ou un blocage des voies urinaires. L'accumulation de l'urine risque d'exercer une énorme pression sur la vessie, parfois jusqu'à la rupture » dit le docteur Rozanski.

Modifications dans les yeux. « La plupart des changements dans les yeux, comme une rougeur ou des larmes, sont assez mineurs et disparaîtront bien vite, soit spontanément ou grâce aux antibiotiques. Mais ces symptômes indiquant un petit problème peuvent aussi révéler un glaucome qui entraînera la cécité s'il n'est pas traité rapidement. Tout changement dans l'apparence des yeux doit être contrôlé par un vétérinaire » conseille le docteur Rozanski.

Une attente réservée

Les vétérinaires sont prudents par nature. Tandis que certains symptômes exigent une intervention immédiate, ce n'est pas le cas de beaucoup d'autres, du moins pour le moment. Un chien qui vomit une fois va sans doute très bien, mais il faut absolument soigner un chien qui vomit sans arrêt. Les vétérinaires ont établi un compromis entre le traitement d'urgence et l'ignorance de la maladie, c'est l'attente réservée, ce qui signifie accorder énormément d'attention à votre chien pour s'assurer qu'il va mieux. Voici quelques symptômes qui appartiennent à cette catégorie.

Diarrhée. « Si votre chien va trop à la selle, mais qu'il semble bien se porter, vous pouvez patienter une journée pour vous assurer qu'il va mieux. Mais prenez soin de ne pas le priver d'eau puisqu'il faudra qu'il boive afin de remplacer le liquide que la diarrhée consomme » dit le docteur Drobatz.

Vomissements. Cela n'arrête pas. Qu'ils aient une infection virale ou qu'ils mangent une saleté, ils se précipitent sur leur repas – et vaquent à leurs affaires. Mais un chien qui continue de vomir pendant plusieurs heures ou plusieurs jours a sans doute un problème plus sérieux qu'il convient de traiter.

Du sang dans les urines. « La plupart du temps, la présence de sang dans l'urine ne signifie rien de grave. En général, c'est la preuve que le chien a une petite infection urinaire » dit James Wohl, professeur de médecine vétérinaire. De nombreuses infections disparaissent d'elles-mêmes au bout de quelques jours, mais il faut quand même consulter votre vétérinaire pour qu'il s'assure que cette infection n'empire pas.

Repas sautés. Il est naturel que l'appétit ne soit pas toujours régulier. Les chiens mangent en général moins en été qu'en hiver, et une maladie passagère, comme la grippe, peut diminuer leur appétit. Un chien peut très bien ne pas manger pendant un jour ou deux sans risques. Mais s'il continue à s'abstenir, et en plus a de la fièvre, le docteur Wohl vous conseille d'appeler votre vétérinaire.

Démangeaisons persistantes. De nombreuses démangeaisons, comme les allergies et les puces, sont faciles à soigner à domicile – soit en se débarrassant de leur cause, soit en s'attaquant au symptôme lui-même. Le problème posé par les démangeaisons permanentes, c'est que les chiens risquent de s'abîmer la peau et de provoquer des blessures difficiles à guérir, ou des infections. Mieux vaut demander l'avis de votre vétérinaire et peut-être envisager un traitement à long terme.

Le grattement est l'un des symptômes de troubles persistants, dont les puces et les allergies.

CHAPITRE TROIS

PRÉVENTION

Beaucoup de maladies qui affectent les chiens peuvent se soigner à domicile. Quand on sait à quoi s'attendre et ce qu'il faut faire, on assure à son chien une vie plus longue, plus saine et plus heureuse.

Les chiens prenaient très bien soin d'eux-mêmes avant l'arrivée des humains, mais leur existence tendait à être plus stressante que celle des chiens d'aujourd'hui. « La vie à l'état sauvage est franchement plus dure que la domesticité. Nos chiens ne risquent pas leur vie pour se procurer leur nourriture, et ne sont pas obligés de manger des carcasses douteuses pour éviter de mourir de faim. Ils ne sont pas contraints de creuser la neige ou de briser la glace pour trouver de l'eau, et leur territoire et leur abri sont protégés d'avance. Rien d'étonnant, donc, à ce qu'ils vivent plus longtemps qu'autrefois » dit Agnès Rupley, vétérinaire.

Mais une vie de luxe n'est pas exempte de problèmes. De nombreux vétérinaires pensent que les nourritures commercialisées de nos jours, ainsi que nos modes de vie, y compris le manque d'exercice, ont généré une variété de menaces pesant sur la santé, dont les allergies, les diabètes et l'arthrite.

Il ne faut pas en conclure que les chiens seraient plus heureux s'ils retournaient à l'état sauvage. Mais ils iraient mieux si nous faisions tous un effort pour retenir ce qu'il y a de meilleur dans les vieilles habitudes, dont l'exercice régulier et beaucoup d'interactions avec leurs congénères, en les associant aux bons côtés des nouvelles coutumes, comme une bonne hygiène et des check-up réguliers. Les soins préventifs ne coûtent pas cher (bien moins que les soins vétéri-naires), et ne prennent pas beaucoup de temps. Et le résultat est fantastique : une longue vie d'amour.

Une bonne alimentation

La plupart des chiens ne sont pas très difficiles sur la nourriture. Ils se régaleront volontiers avec n'importe quoi, depuis leur pâtée habituelle jusqu'à ce qu'ils aient réussi à voler sur votre table de cuisine. Ils ne se préoccupent pas de leur poids ou de leurs dents. Ils ne pensent qu'à manger et à leur prochain repas. Ce à quoi ils ne réfléchissent pas – et

Les chiens sont plus heureux quand ils passent du temps avec d'autres chiens. Une vie sociale variée les rend téméraires et tournés vers l'extérieur. Cela les aide à apprendre le code du comportement canin.

c'est à nous de le faire – c'est de savoir si ce qu'ils ingurgitent est bon pour eux ou non. Les chiens qui reçoivent une alimentation saine et nutritive n'auront vraisemblablement pas d'excédent de poids et échapperont aux diabètes et à d'autres problèmes digestifs. Un régime approprié peut même diminuer les risques de calculs rénaux.

Le choix d'une nourriture appropriée peut être délicat. La plupart des vétérinaires recommandent d'éviter les produits génériques. Bien qu'ils soient en général moitié moins chers que les autres, ils ne contiennent pas les meilleurs ingrédients. Il n'y a aucun inconvénient à choisir l'autre extrême, c'est-à-dire ce qu'il y a de mieux chez les vétérinaires ou dans les boutiques spécialisées. Cette alimentation de haut de gamme est composée d'éléments de grande qualité et les vétérinaires les recommandent souvent pour des chiens souffrant de problèmes spécifiques, ou manquant d'exercice.

Mais dans la majorité des cas ces produits onéreux ne changeront pas grand-chose à leur santé. À moins que votre vétérinaire ne vous ait fait des suggestions particulières, vous ne commettrez pas d'erreurs en vous approvisionnant en produits de marques au supermarché.

Le problème majeur, de nos jours, c'est que les chiens ont tendance à manger plus que de raison, un excédent de poids pouvant écourter leur vie. « Prévenir l'excédent de poids ne relève pas de la responsabilité de votre chien » dit Rance Sellon, vétérinaire. « Vous êtes là pour lire les chiffres sur la bascule. »

Peser ce qui va dans son plat. Les vétérinaires ont découvert que quand les gens essayent d'évaluer la quantité qu'ils donnent vraiment à leur chien et qu'ensuite ils la pèsent, ils sont étonnés du résultat. Le docteur Sellon recommande de toujours peser la nourriture. Non seulement pour savoir exactement

la quantité qu'il ingère, mais c'est aussi l'occasion de remarquer s'il mange plus ou moins que d'habitude, ce qui peut fournir des indices sur son état de santé.

Contrôle des gâteries. Quand vous essayez de jauger ce que votre chien mange, n'oubliez pas de comptabiliser les suppléments : biscuits, petits restes en tous genres. Les gâteries, faites à la maison ou achetées, sont en général riches en graisse et en calories, et peuvent réduire à néant le régime le mieux équilibré. Les vétérinaires recommandent de les supprimer carrément, ou de les remplacer par quelque chose de plus sain, comme des morceaux de fruits ou de légumes coupés en dés. Beaucoup de chiens aiment aussi le pop-corn.

Diminution progressive des calories. Puisque les chiens qui sont trop lourds sont plus vulnérables, les vétérinaires considèrent qu'un plan de perte de poids est essentiel. La solution la plus simple est de diminuer de 25 % la quantité de nourriture. La plupart des chiens commenceront à maigrir au bout de quelques semaines. Si cette technique reste sans effet, diminuez encore de 25 %. En cas d'échec, consultez votre vétérinaire pour envisager un autre moyen.

Nourrissez-les à heures fixes. Certains chiens ne se montrent pas voraces devant leur repas, mais la majorité mange ce qui s'y trouve. Si vous le nourrissez sans arrêt, il mangera sans arrêt. Les vétérinaires recommandent de servir les chiens à heures fixes, et de respecter cet horaire : par exemple le matin et le soir.

Donnez-leur satisfaction. Un régime bien équilibré peut s'avérer très efficace pour sa santé mais il ne fera pas la conquête de son cœur. Les chiens, comme les humains, ont horreur des régimes, et il faut vous attendre à ce qu'ils réclament et gémissent en conséquence.

SAVOIR CE QUI EST NORMAL

La raison pour laquelle les chiens ne viennent pas au monde avec la liste des choses auxquelles il faut faire attention, c'est parce qu'ils sont tous différents, physiquement et émotionnellement. La seule manière de savoir si votre chien est malade, c'est de bien connaître son comportement quand il est en bonne santé. Cela s'appelle la ligne de base. Tout changement dans ses habitudes, son apparence, son humeur signifie qu'il se passe quelque chose et que vous devez être vigilant, dit Stan Coe, vétérinaire privé.

• **Surveillez la quantité de nourriture qu'ils consomment.** L'un des premiers indices d'une maladie, c'est une modification de l'appétit. Les vétérinaires recommandent de peser la nourriture du chien tous les jours. Cela permet de savoir plus facilement s'il mange plus ou moins que d'habitude. « Il faut aussi remarquer si votre chien répugne à accepter un aliment solide, ce qui signifierait qu'il a un problème buccal, » dit Rance Sellon, vétérinaire.

• **Surveillez la quantité qu'ils boivent.** C'est normal que la soif d'un chien soit variable en fonction des saisons et de l'exercice qu'il prend, mais une modification notable dans la quantité peut indiquer de sérieux ennuis, comme les diabètes, une insuffisance rénale ou des problèmes de glandes surrénales.

• **Contrôlez leurs déjections.** Il suffit de jeter un regard rapide sur son urine et ses selles pour obtenir beaucoup d'informations. Tout changement dans leur apparence habituelle peut être un avertissement, dit le docteur Coe.

• **Contrôlez leur endurance et leur énergie.** Un chien extrêmement calme et qui devient d'une vigueur excessive risque d'avoir un problème hormonal. De même, si un chien très dynamique est sans cesse fatigué, la situation n'est pas normale.

• **Regardez leurs yeux.** Les yeux des chiens doivent toujours être propres et brillants. Un changement de leur coloration ou l'apparition de larmes méritera toute votre attention.

• **Examinez leurs dents.** Il faut contrôler ses dents et ses gencives de temps en temps. Les gencives doivent être roses et fermes, et les dents relativement propres. Des gencives rouges ou irritées, ou une haleine redoutable, prouvent l'existence d'un problème dans la gueule ou ailleurs.

• **Contrôlez leur peau.** Avec l'âge, il est normal que la peau du chien devienne un peu grumeleuse, mais des excroissances risquent d'être des signes de cancer. De façon générale, une grosseur molle et mobile est moins problématique que si elle est dure et fixe.

L'avis d'un professionnel. « Avant qu'un chien ne soit très âgé, il faut l'emmener chez le vétérinaire une fois par an pour un examen complet, » dit le docteur Sellon. Les chiens très vieux devraient bénéficier d'une consultation deux ou trois fois par an.

L'armoire à pharmacie du chien

Les vétérinaires recommandent de se munir d'une trousse de secours ou d'avoir un placard à pharmacie réservé au chien. C'est tout à fait réalisable, mais non indispensable puisque de nombreux médicaments utilisés par les humains sont aussi efficaces pour eux. Voici les produits qu'il faut garder sous la main.

• Charbon de bois activé pour traiter les empoisonnements ; votre vétérinaire vous dira quelle quantité donner.

• Teinture d'aloès, ou la plante entière, pour traiter les brûlures bénignes.

• Bétadine ou autre solution pour nettoyer les blessures.

• Aspirine tamponnée ou enrobée pour la fièvre et les douleurs en général ; administrez le quart d'un comprimé de 325 milligrammes par 5 kg, une ou deux fois par jour.

• Farine d'avoine colloïdale pour soulager les démangeaisons dues aux puces ou aux allergies.

• Sels d'Epsom pour nettoyer et tamponner les blessures ou les plaies.

• Eau oxygénée (solution à 3 %) pour enrayer les vomissements ; donnez une cuiller à soupe pour un chien de 7 à 10 kg.

• Crème à l'hydrocortisone, sans ordonnance, pour traiter les inflammations mineures.

• Pepto-bismol pour la diarrhée ou autres dérangements intestinaux ; donnez une cuiller à café pour un chien de 10 kg toutes les 4 heures.

• Sérum physiologique pour ôter le sable des yeux, ou pour calmer l'irritation.

• Onguent ou crème à triple antibiotique.

• Hamamélis pour apaiser les inflammations bénignes ainsi que les morsures d'insectes et les piqûres.

« Pour les aider à se sentir plus satisfaits, ajoutez à sa nourriture une cuillère à soupe de potiron en conserve » dit Craig N. Carter, chef d'un service d'épidémiologie. « C'est riche en fibres, pauvre en calories, et satisfaisant – et en plus, presque tous les chiens l'adorent. »

Faites disparaître les ordures ménagères. « Les ancêtres de votre chien se précipitaient sur tout ce qu'ils pouvaient trouver, mais les chiens d'aujourd'hui ne sont pas habitués à des menus aussi variés » dit le docteur Rupley. « Fouiller pour se procurer de la nourriture et se servir dans les ordures ne risque pas trop de leur faire du mal à long terme, mais peut quand même nuire à leur estomac. On a vu des chiens manger de gros objets comme des os, ou du papier et du plastique, qui obstruent l'appareil digestif » ajoute le docteur Rupley.

Donnez-leur de la nourriture sèche. « Bien que l'alimentation en conserves ou humidifiée à 50 % soit satisfaisante – et appréciée par les chiens – elle n'est pas recommandable pour les dents » dit John Hamil, vétérinaire. Contrairement aux aliments secs, ceux qui sont humidifiés ne permettent pas de garder les dents propres puisqu'ils s'y collent, et favorisent ainsi la présence et la multiplication des bactéries pouvant causer des infections ou une inflammation.

Conservez la nourriture dans son emballage. Si vous transvasez les aliments secs de votre chien dans un sac en plastique, et pour longtemps, l'odeur du plastique et des produits chimiques risque de les imprégner. « Il vaut mieux conserver sa nourriture dans son emballage d'origine, que l'on peut placer à son tour dans un conteneur en plastique pour maintenir sa fraîcheur sans risquer de contamination » affirme le docteur Rupley.

Rester actif

Assurer de l'exercice à son chien est l'une des stratégies les plus efficaces pour qu'il reste svelte, en bonne santé et satisfait. L'exercice permet au cœur et aux poumons de bien fonctionner. Il renforce les muscles et les ligaments qui protégeront mieux les articulations. Cela permettra aussi aux chiens de faire moins de polissonneries. De nombreux problèmes de comportement, comme creuser des trous ou ronger les meubles, résultent de l'ennui, surtout quand les chiens n'ont pas l'occasion de dépenser leur énergie.

« Certains avantages de la survivance des plus aptes se sont perdus avec la domestication, surtout l'exercice nécessité par la poursuite ou le fait d'être traqué » ajoute Stan Coe, vétérinaire.

De combien d'exercice les chiens ont-ils besoin ? Cela dépend totalement de la race. Les terriers, les chiens de troupeaux et les chiens sportifs ont une énergie formidable. Il leur faut vraiment une heure ou plus d'exercice vigoureux tous les jours pour rester en forme et heureux. Les chiens très grands ou très petits sont en général plus calmes et se contenteront d'une ou deux promenades relativement courtes, quotidiennement. On estime que tous les chiens devraient avoir au moins une demi-heure d'exercice par jour, quinze minutes le matin et

L'une des médecines préventives les plus importantes, c'est énormément d'exercice – et comme les chiens adorent ça, ils ne s'en lassent jamais.

autant le soir. Si le vôtre ne s'est pas beaucoup dépensé récemment, il doit s'y remettre progressivement. Faites deux promenades par jour, de préférence en suivant un itinéraire pas trop accidenté. Ou bien jouez dans la cour ou la salle de séjour pendant quelques minutes de temps en temps. Quand il se sentira plus en forme, vous accélérerez le rythme, et vous découvrirez d'autres manières, peut-être plus amusantes, de lui procurer de l'activité.

L'un des moyens pour bien se porter – et les chiens adorent ça – c'est de faire du jogging, ou lui offrir une variété d'activités comme nager, marcher, courir, ou jouer à la balle. La natation est excellente pour ceux qui aiment l'eau, parce qu'elle fait travailler tous les muscles et n'abîme pas les articulations. Il faut bien sûr surveiller votre chien quand il est dans l'eau, en évitant les rivières et l'océan, où des courants rapides présentent un danger. Mais ne vous étonnez pas si votre chien refuse de se mouiller. Certains détestent l'eau, tout simplement, et il ne faut pas les forcer.

Une mise en garde à propos de l'exercice : bannissez les exercices violents sur l'asphalte et le ciment. Ces sols sont trop glissants pour la surface lisse de leurs coussinets, et leurs mouvements se répercuteront très fort sur leurs pattes et leurs articulations.

Hygiène de base

À moins que les chiens aient une activité dans le domaine du spectacle ou soient en exposition publique, il est inutile de les baigner souvent. Leur peau contient des glandes productrices d'huile, qui la maintiennent en bon état et souple. On sait que tous les chiens sont différents. « Les espèces à poil ras ne nécessitent pas beaucoup d'attention » dit le docteur Coe. Mais les chiens à poil long doivent être baignés et brossés régulièrement, non seulement pour être beaux et sentir bon, mais aussi pour éviter les risques d'infections cutanées.

Bien que le toilettage varie beaucoup en fonction de la race et des habitudes du chien, voici les recommandations des vétérinaires.

Brossez-les souvent. Un brossage régulier distribue les huiles naturelles sur toute la surface de la peau, ce qui contribue à prévenir les rougeurs et les infections. Une fois par semaine, on peut brosser, ou essuyer et frotter son chien avec une peau de chamois. Mais il faut vraiment brosser tous les jours, ne serait-ce que pendant quelques minutes, tous les chiens dont le pelage est long.

Comment se débarrasser des boules de poils. « Pour les chiens à poil long, les boules de poils sont un problème insoluble. Non seulement cela fait négligé, mais il arrive aussi que l'humidité s'installe contre la peau, favorisant ainsi la présence de bactéries et de parasites » dit le docteur Hamil.

Les boules de poils sont difficiles à ôter, parce que la peau en dessous est souvent très tendre. Si vous arrivez à convaincre votre compagnon de ne pas bouger, vous pourrez utiliser une brosse ou un peigne. Ou alors vous vaporiserez du spray démêlant, que l'on trouve dans les salons de toilettage. Si la boule de poils est contre la peau, vous réussirez peut-être à la couper avec des ciseaux à bout rond.

Les griffes. Les griffes des chiens poussent parfois à une vitesse surprenante. Si vous ne les coupez pas régulièrement, ils se fendront ou se casseront sans doute.

Dents propres. Peu de gens sont suffisamment passionnés pour brosser les dents de leur chien après chaque repas. Mais un brossage plusieurs fois par semaine, ou mieux encore, tous les jours – leur

Un toilettage hebdomadaire avec une peau de chamois suffit souvent pour que le pelage des chiens à poils courts reste propre et sain.

permettra de rester propres et libres de toutes bactéries. Il ne s'agit pas que de beauté. Les vétérinaires ont découvert que les bactéries provoquant les maladies des gencives peuvent aussi s'introduire dans la circulation sanguine et atteindre le cœur ou d'autres organes.

L'entretien des dents est compliqué si on emploie une brosse et un dentifrice spéciaux, ou facile si on essuie la face externe des dents avec un morceau de gaze. Mais il suffit de donner des objets à ronger, en peau non traitée ou en caoutchouc, ou bien des biscuits croquants, pour que leurs dents restent propres.

Prenez soin des oreilles. Les oreilles sont par nature autonettoyantes et ne nécessitent pas beaucoup de soins. Votre vétérinaire vous recommandera peut-être d'utiliser un mélange désinfectant et nettoyant. Évitez le canal interne ; vous pousseriez le cérumen au lieu de le retirer.

Les amis et la famille

Il y a bien longtemps, les chiens étaient sans cesse occupés à chasser leurs proies et à élever leur progéniture. Aujourd'hui, ils passent beaucoup de temps dans la solitude. Même s'ils sont entourés, ils n'ont que peu d'occasions d'entretenir des relations sociales avec d'autres chiens. Ce qui peut causer des problèmes, car « ils sont par nature des animaux très sociables et qui recherchent la compagnie » affirme le docteur Rupley. Faute d'activités, ils risquent de s'ennuyer et d'avoir des dépressions. Il leur arrive de compenser ces émotions en aboyant, en creusant des trous dans la cour, en arrachant les plantes du jardin, ou en rongeant les meubles.

« Il est presque impossible de procurer à un chien une vie en société très satisfaisante » ajoute le docteur Rupley. « Quand c'est le cas, les améliorations de leur comportement et de leur caractère sont souvent étonnantes. Faire l'effort de jouer avec son chien une demi-heure ou une heure par jour le rendra heureux et plein d'énergie. Mais mieux vaut l'emmener de temps en temps à l'extérieur de la maison et hors de son voisinage habituel. Il sera heureux de découvrir de nouveaux lieux et des odeurs inconnues, et peut-être de rencontrer d'autres chiens avec qui il pourra jouer. Or les chiens heureux risquent encore moins d'être dérangeants » explique-t-elle.

IMMUNITÉ NATURELLE

Le corps possède un merveilleux système de défense, qui s'appelle le système immunitaire ; il le protège contre des quantités de dangers, dont les bactéries, les virus, les allergènes, et même certains venins de serpents ou d'araignées – en bref, tout ce qui, dans l'environnement, pourrait menacer sa santé. Quand un envahisseur, qu'on appelle un antigène, pénètre dans le corps, le système immunitaire produit des anticorps qui restent dans l'organisme et fournissent une défense permanente contre l'antigène qui les a déclenchés.

La vaccination tire parti de ce mécanisme de défense en introduisant délibérément une forme amoindrie de la maladie, par exemple la rage ou la maladie des jeunes chiens. Cette action stimule le système d'immunité pour produire des anticorps qui garantiront une protection permanente contre des manifestations moins graves de la maladie.

DEUXIÈME PARTIE

LA SANTÉ DU CHIEN

La plupart des chiens vivent longtemps sans maladies graves, mais il y a toujours quelque chose qui ne va pas. Vous serez parfois obligé de consulter votre vétérinaire, mais bien souvent vous pourrez gérer la situation à la maison, grâce à des remèdes simples et pratiques.

Agressivité

Entre eux, les chiens ont des comportements très différents de ceux qu'ils ont avec les gens. L'attitude qui consiste à s'affirmer, à se montrer agressif – et à faire dégager tout le monde, en grognant, montrant les dents et en mordant quand ils sont contrariés, fait partie de leur façon de communiquer. Les chiens dominants et volontaires utilisent l'agression pour montrer à leurs congénères plus calmes et plus conciliants qu'ils sont responsables et méritent le respect. N'importe quel chien, même s'il est d'habitude timide et discret, peut devenir agressif quand l'enjeu en vaut la peine, comme s'il s'agissait de protéger un plat de nourriture bien rempli.

« Certains chiens sont agressifs par nature et en fonction de leur âge, par exemple quand ils appro-

Quand ils sont en colère, les chiens ne témoignent pas seulement leur agressivité. Ce Golden retriever et ce Bull terrier du Staffordshire montrent les dents et se mordillent en un combat qui est aussi un jeu.

PARTICULARITÉ DE LA RACE

Dans des circonstances données, n'importe quel chien peut devenir agressif, mais certaines races sont plus portées à l'être que d'autres. Les Springers anglais ont tendance à souffrir d'un désordre héréditaire, le « syndrome de la fureur ». Les Cockers spaniels peuvent être agressifs sans provocation. Parmi les autres races témoignant cette particularité, il y a les Rottweilers, les Bullmastiffs, les Akitas (à gauche), les Dobermans et les Chow-chows. Souvent excellents animaux de compagnie, il faut les contrôler de manière très stricte pour mettre en échec leurs penchants naturels.

chent de la maturité » dit Benjamin Hart, vétérinaire et professeur de physiologie et de comportement animal. Il arrive que les mâles soient plus agressifs que les femelles parce qu'ils veillent mieux leur territoire, ajoute-t-il. Et les femelles avec une portée feront n'importe quoi pour protéger leurs chiots.

Bien que l'agressivité soit absolument normale et acceptable chez les chiens, c'est toujours un problème quand il s'agit des humains ; « 50 % des enfants au-dessous de dix-huit ans ont été mordus par des chiens, et en général par un chien qu'ils connaissaient » dit James M. Harris, directeur médical à la clinique vétérinaire d'Oakland. Bien que la majorité des chiens ne menacent jamais sérieusement leur propriétaire,

Les yeux dans les yeux

Quand la famille Stein de Van Nuys a choisi un Akita d'un an, du nom de Radar, dans un refuge, ils étaient impatients de l'accueillir à la maison. Cependant, à leur grand étonnement, le premier jour où Radar se trouva dans son nouvel environnement, il grogna contre leur fils de huit ans, Ryan, quand il s'agenouilla devant lui pour lui dire bonjour.

« Mon mari et moi, nous avons eu très peur, parce que Radar était très gros et nous n'avions jamais eu de chien qui grogne » dit Judy Stein. Les Stein étaient suffisamment inquiets pour s'adresser à un dresseur professionnel à qui ils demandèrent d'examiner Radar et de voir ce qui se passait entre lui et Ryan.

Presque immédiatement, le dresseur remarqua quelque chose que Judy n'avait pas vu : Ryan avait l'habitude de s'agenouiller pour jouer avec Radar, et il le regardait droit dans les yeux. Pour les chiens, une position basse signifie une situation d'infériorité et, sans le savoir, Ryan disait à Radar qu'il ne fallait pas le prendre au sérieux. De plus, certains chiens considèrent qu'un regard appuyé est une menace. Radar répondait donc à sa manière. Mis à part quelques conseils d'ordre général que le dresseur donna aux Stein, comme séparer Radar et Ryan quand ils n'étaient pas là pour les surveiller, il recommanda à Ryan de rester debout quand Radar était dans les parages, et de ne pas le regarder droit dans les yeux.

Tout fonctionna à merveille dès le début. Radar arrêta de se sentir menacé, Ryan d'avoir peur, et toute la famille Stein apprit des leçons très importantes sur la manière de se comporter avec les chiens.

Les soupçons habituels

Manque de socialisation. Les spécialistes du comportement animal ont découvert que les chiots apprennent comment se comporter parmi les humains avant d'avoir quatorze semaines. Les chiens qui ont été en contact pendant leur période de formation avec des gens, des lieux et des situations différentes, grandissent en devenant sûrs d'eux et à l'aise dans leur environnement. « Les chiens qui n'ont pas la chance d'avoir cette expérience risquent d'être craintifs ou d'avoir recours à des attitudes reflétant leur peur pour résoudre leurs problèmes » dit le docteur Case-Pall.

Fluctuations hormonales. « Les chiennes non opérées peuvent avoir des problèmes hormonaux avant, pendant ou peu après leur ovulation » explique Linda Goodloe, spécialiste du comportement animal. Les niveaux hormonaux fluctuants risquent de les rendre peu sociables et hargneuses pendant quelques jours.

Peur. Il arrive que des chiens mordent dans un moment de panique – si quelqu'un arrive brusquement par-derrière, par exemple, ou quand ils se sentent coincés et qu'il n'existe pas d'issue. Ce comportement est beaucoup plus fréquent chez des chiens qui ont souffert auparavant, parce qu'ils ont été maltraités par leurs anciens propriétaires ou ont eu de mauvaises expériences avec d'autres

l'agression donne lieu à une escalade si on ne la traite pas immédiatement. Un chien qu'on laisse grommeler, ensuite grognera, montrera les dents, et même pire.

De plus, « l'agressivité envers les gens est un signe que les chiens ne sont pas heureux, qu'ils sont troublés ou inquiets » dit Deena Case-Pall, psychologue et spécialiste du comportement animal. Au mieux, c'est une indication qu'ils se considèrent comme responsables et s'autorisent à dire à leur maître ce qu'il faut faire.

Même les chiens amicaux peuvent devenir agressifs s'ils ont une mission de protection.

chiens. Les chiens ont une excellente mémoire et tendront à être agressifs s'ils se trouvent confrontés à une situation tout aussi menaçante.

Douleur. « Les chiens qui souffrent d'arthrite, de dysplasie de la hanche, ou de n'importe quelle blessure ou maladie, peuvent être très grincheux et parfois se comporter de manière agressive quand on s'approche trop d'eux » dit le docteur Harris. Leur instinct les pousse à s'éloigner jusqu'à ce qu'ils se sentent plus à l'aise, et ils protégeront leur intimité en grognant et en mordant.

Ennui. « Tout comme les enfants sont de mauvaise humeur quand il ne se passe pas grand-chose, les chiens deviennent parfois hargneux s'ils s'ennuient ou manquent de stimulations » dit Moira Cornell, dresseur. Sans exercice physique régulier, et sans motivations mentales, les chiens accumulent beaucoup d'énergie non utilisée, et il arrive qu'ils canalisent cet excédent par un comportement agressif.

Faire au mieux

Élargissez leurs horizons. Bien que les chiens apprennent un maximum de choses quand ils sont jeunes, ils peuvent aussi devenir sûrs d'eux et moins craintifs plus tard dans leur vie. Emmenez votre chien avec vous chaque fois que cela est possible. « Quand il change de lieu et qu'il fait l'expérience d'un environnement différent, il s'habitue à des bruits nouveaux et à des objets inhabituels » dit le docteur Case-Pall. « Pensez à emporter quelques petites gâteries, et demandez à un étranger obligeant de lui en donner une. La rencontre avec d'autres gens et d'autres chiens lui permettra de se rendre compte qu'ils ne sont pas menaçants, et il deviendra confiant ; il se détendra, et ses tendances agressives disparaîtront » dit Cornell.

Réduisez leur peur. Quand les chiens montrent de l'agressivité face à quelque chose qui les effraie, on arrive à les désensibiliser par rapport à l'objet de leur peur en augmentant progressivement et lentement la confrontation avec cette circonstance. Si votre chien n'a pas été élevé parmi des enfants, et en a peur, promenez-le dans les jardins publics et près des cours d'école. Il faudra un certain temps avant qu'il se rende compte qu'ils sont sans danger, et il se sentira plus à l'aise dans leur compagnie. Vous pourrez lui demander de s'asseoir pendant qu'il est en présence d'enfants qui s'amusent. Sa confiance grandira encore si vous le félicitez de cet excellent comportement.

Le moment de jouer. « Même les chiens les plus calmes et les plus posés emmagasinent une énorme quantité d'énergie pendant la journée. C'est en leur donnant l'occasion de la dépenser et de décompresser qu'on les protégera le mieux de l'agressivité » dit Wayne Hunthausen, spécialiste du comportement animal. Les jeux non combatifs comme le frisbee, ou tout simplement jouer à la balle – sont parmi les meilleurs. Le saut par-dessus une barre à petite hauteur, ou le passage dans un tunnel miniature les aidera à canaliser leur énergie de manière acceptable. Peu importe le jeu ou le jouet que vous choisissez, il faut en garder le contrôle permanent, afin que votre chien n'oublie jamais qui est le chef.

Cultivez leur dépendance par rapport à vous. « Les chiens qui sont agressifs et auxquels on ne s'oppose pas risquent de le devenir encore plus. Ce n'est sans doute pas pour cause de mauvaise humeur, mais parce qu'ils sentent qu'ils ont le droit de menacer les gens » explique Sandy Myers, consultant en comportement et dresseur. On peut inverser la situation en s'assurant qu'ils comprennent que vous êtes la personne à qui ils doivent obéir et faire plaisir.

« Saisissez toutes les occasions d'affirmer que vous êtes le chef » dit Myers. Incorporez dans leur vie des quantités de petits signaux leur indiquant que tout ce qui est bon leur est donné par les gens, et seulement quand ils sont satisfaits. Voici quelques suggestions.

AU SECOURS !

Personne ne s'étonne trop quand un chiot émet un petit grognement ou quand un chien qui dort bougonne si on le réveille. Mais les grommellements et les grognements peuvent se transformer en morsures, et c'est pourquoi l'agressivité est toujours assez effrayante, dit Bonnie V. Beaver, professeur et médecin chef au centre médical vétérinaire universitaire du Texas à College Station.

Un chien gros et puissant peut exercer une pression de 600 kg sur une morsure de 3 à 4 cm, tandis qu'un homme de 80 kg exercera une pression de 33 kg. Les vétérinaires recommandent d'appeler au secours dès les premiers indices. Votre vétérinaire contrôlera que la propension à mordre que manifeste votre chien n'est pas due à un problème physique. En même temps, il définira un programme afin qu'il comprenne que l'agressivité par rapport aux gens n'est jamais appropriée.

• Avant ses repas, votre chien doit rester assis ou couché, et attendre que vous les serviez. Placez ensuite son bol par terre, et dites-lui qu'il peut manger.

• Prenez la laisse, mais ne la lui mettez pas avant qu'il soit assis, ou debout et calme.

• Ouvrez la porte pour sortir, mais ne la lui laissez franchir qu'après qu'il soit resté assis, qu'il ait attendu poliment, ou répondu à n'importe quel autre ordre.

Les chiens à qui on donne des cours d'obéissance réguliers respectent l'autorité de leurs propriétaires et ressentent moins le besoin d'un comportement agressif.

Perte d'appétit

Il est normal que l'appétit des chiens soit variable, non seulement en fonction des saisons, mais aussi des différentes étapes de la vie. D'habitude les chiots sont voraces – ils adorent l'alimentation spécialisée pour les chiens, les chats ou n'importe quoi d'autre. Les chiens âgés, d'autre part, mangent moins à cause du manque d'exercice, mais aussi parce que leur odorat s'est atténué : la nourriture n'est donc plus aussi appétissante.

Tous les chiens ne consomment pas la même quantité d'aliments, si bien que vous ne pouvez pas vous fier à ce que vous déposez dans son bol et qui disparaît. Les vétérinaires s'intéressent plus aux modifications de l'appétit. « Un chien qui mange d'habitude autant qu'un cheval et qui un beau jour se détourne de son plat est sans doute malade ou déprimé » dit Kris Ellingsen, vétérinaire.

Il y a sans doute des dizaines de raisons pour lesquelles les chiens mangent moins tout à coup. Voici les plus répandues.

Les soupçons habituels

Ils mangent ailleurs. Les gens s'imaginent en général que leurs chiens sont malades s'ils s'arrêtent de manger, mais il arrive qu'ils refusent leur repas parce qu'ils ont trouvé une autre source d'alimentation et qu'ils la préfèrent. « Si votre chien n'accepte plus ses croquettes mais se délecte avec la nourriture du chat, il ne faut pas s'en faire autant que s'il refuse des gâteries succulentes » dit Rance Sellon, vétérinaire spécialiste de la médecine interne.

Quand les chiens commencent tout à coup à refuser leur marque alimentaire préférée, c'est peut-être parce que le fabricant a changé de recette.

AU SECOURS !

Les vétérinaires sont toujours inquiets quand un chien s'arrête de manger plus d'un ou deux jours, parce qu'il existe des dizaines de problèmes physiques, dont certains très sérieux, et pouvant expliquer l'absence d'intérêt pour leur nourriture. C'est le cas des maladies du pancréas, du foie et des reins. Même une atteinte cardiaque peut diminuer l'appétit, à cause de l'accumulation de liquides dans la cavité thoracique.

« Ne vous précipitez pas chez le vétérinaire si votre chiot ne mange pas pendant un ou deux jours » dit Craig N. Carter, chef de service d'épidémiologie. S'il ne recouvre pas son appétit assez rapidement, consultez votre vétérinaire.

Problèmes de gencives ou de dents. « Les chiens qui ont une infection des gencives ou une dent cassée se mettront sans doute à manger moins parce qu'ils souffrent quand ils mastiquent » dit Deborah C. Mallu, vétérinaire.

Changements culinaires. Il n'est pas inhabituel que des chiens ayant volontiers accueilli la même nourriture pendant dix ans, avec un enthousiasme égal, s'en détournent un beau jour avec dégoût. « Les fabricants d'aliments pour animaux de compagnie modifient périodiquement leurs recettes » dit Taylor Wallace, vétérinaire. Même si certains sont parfaitement satisfaits de leur pitance, il arrive que leurs propriétaires décident de changer de marque ou de saveur. Si cette nourriture déplaît à votre chien, il ne la mangera pas.

Changements d'habitude. « Les chiens aiment ce qui est prévisible, et parfois des changements minimes dans leur vie peuvent les bouleverser au point de leur faire perdre l'appétit » dit le docteur Wallace. Ceci arrive en général quand la maisonnée est sens dessus dessous, par exemple lors d'un déménagement ou si des amis et des parents ne cessent de débarquer pour les vacances. « Certains chiens s'arrêtent de manger quand leur maître part en vacances, dit le docteur Wallace. La faim ne compte plus quand leurs maîtres leur manquent à ce point là ».

Distractions. « Bien que la plupart des chiens s'intéressent exclusivement à la nourriture, d'autres ne s'en préoccupent pas tellement et s'éloigneront de leur bol pour un rien » dit Agnès Rupley, vétérinaire. « Des occupations plus intéressantes, comme aboyer contre le chat des voisins ou surveiller le bain des oiseaux, peuvent très bien détourner votre chien de son plat » explique-t-elle.

Maladie. « Les chiens malades perdent presque toujours l'appétit » dit le docteur Sellon. En général, il s'agit d'un problème mineur – un

HISTOIRE DE CHIEN

On aime les ordures

Les Malamutes de l'Alaska ne sont pas connus pour leurs appétits d'oiseaux. La plupart du temps, ils s'empiffrent, et Mako ne faisait pas exception. Il ingurgitait tout ce qui se trouvait dans son plat, puis jetait un regard anxieux alentour pour voir s'il pouvait en espérer encore plus. Mais quelque chose d'étrange arriva. Sa propriétaire, Heather Forte, artiste, remarqua qu'une fois par semaine, le vendredi, Mako ne mangeait rien du tout. Mais tous les autres jours son appétit était égal.

Heather ne comprenait rien à ce pessimisme alimentaire des fins de semaine, jusqu'à ce qu'un jeudi soir elle aperçoive ses voisins qui sortaient les poubelles. Heather réalisa tout à coup ce qui se passait sans doute.

Le lendemain matin, elle fit sortir Mako dans le jardin pour ses besoins, puis l'observa depuis la fenêtre de la cuisine. Elle le vit aller jusqu'à la barrière, faire sauter le loquet, et se diriger vers la rue. Heather se précipita à une fenêtre en façade, juste à temps pour voir Mako renverser la poubelle et enlever le couvercle d'un coup de patte.

Tandis qu'Heather était ravie de l'ingéniosité de Mako, elle n'était pas enchantée de l'objet des attentions de son chien. Elle a donc agi très vite : huit jours plus tard, Mako découvrait un cadenas sur la barrière. Et ce même vendredi, Heather fut très heureuse de remarquer que Mako avait terminé son repas sans problème.

mal de gorge, de la fièvre, ou une douleur articulaire – ils reprendront leurs habitudes alimentaires dès qu'ils se sentiront mieux. Mieux vaut cependant appeler votre vétérinaire si votre compagnon n'a pas mangé plus de deux jours.

Faire au mieux

Testez leur appétit. « On a bien du mal à dire si un chien a vraiment perdu l'appétit ou s'il en a assez de manger toujours la même chose. L'une des façons de s'en rendre compte, c'est de placer des mets différents devant lui. Si votre compagnon se met à manger un ou plusieurs de ces mets délicieux, et avec son enthousiasme habituel, vous saurez que son goût, et non son appétit, pose problème » dit Karen Overrall, spécialiste du comportement animal.

Tempérez leurs émotions. « Il arrive que les chiens soient dépressifs et angoissés, et quand ils ne

Comme ce Shar-pei refuse de manger, sa propriétaire essaye de l'en convaincre, le dorlote et lui donne des aliments pour bébés, à la cuiller.

se sentent pas bien ils perdent l'appétit » dit le docteur Rupley. « Si votre compagnon semble s'intéresser à la nourriture, mais ne la consomme pas, essayez de vous asseoir à côté de lui et de le faire manger à la main, suggère-t-elle. « Les caresses peuvent stimuler le désir de s'alimenter chez certains chiens » ajoute-t-elle.

EN BREF Les chiens que leur alimentation sèche habituelle ennuie flancheront sans doute si vous y ajoutez une cuillerée de nourriture en boîte et un peu d'eau chaude pour faire un bon mélange.

Chaque bouchée doit compter. Bien qu'il soit très sain que les chiens se passent de nourriture pendant un jour ou deux, ceux qui ont un petit appétit peuvent manquer de certaines substances nutritives. Les vétérinaires fournissent des régimes adaptés, riches en éléments nutritifs, légers, et plus faciles à digérer que les aliments proposés dans le commerce. Vous pouvez aussi améliorer son repas avec des restes très sains, comme le poulet ou le bœuf dégraissé.

Encouragez-les à boire. « Les chiens qui ne mangent pas risquent aussi de ne pas boire assez, » dit le docteur Ellingen. Ils ne boiront pas plus sur commande, mais ils laperont volontiers des liquides plus parfumés, comme le bouillon de poule ou le jus d'une boîte de thon dilué dans de l'eau.

Mauvaise haleine

Quand les chiens ont mauvaise haleine, cela veut dire qu'il existe un désordre soit dans la gueule, soit de façon interne. Bien que l'haleine du chien soit plus chaude et plus moite que celle de l'homme, elle ne doit pas être malodorante.

« L'haleine de votre chien peut ne pas être agréable, mais il ne faut pas que ça aille trop loin » dit Paul Cleland, vétérinaire spécialisé dans l'hygiène dentaire.

Les soupçons habituels

Maladie périodontale. Les principales causes de mauvaise haleine chez le chien sont les maladies périodontales et les infections des gencives. Elles résultent d'une hygiène dentaire insuffisante. Les bactéries et la salive attaquent les fragments d'aliments collés entre les gencives et les dents, produisent une pellicule légèrement collante de matières en décomposition – dénommée la plaque dentaire – qui se fixe sur les dents. À moins d'être nettoyée, elle durcit et devient un dépôt brunâtre appelé tartre. Le tartre, grâce à sa présence entre les dents et les gencives, ronge les tissus et l'os qui maintiennent les dents en place.

Les maladies périodontales affectent environ 85 % des chiens de plus de trois ans. Ils perdent beaucoup plus de dents pour cette raison que pour d'autres, dont les cavités et les dents cassées. Mis à part la

OUVRIR GRAND LA GUEULE

Brosser les dents d'un chien ne prend pas beaucoup de temps. Une manière très simple consiste à transformer votre doigt en brosse à dents, grâce à une brosse digitale que l'on trouve chez les vétérinaires et dans les boutiques spécialisées. Les dentifrices pour chiens offrent des odeurs de viande et ça leur plaît.

Prenez votre petit chien sur vos genoux, ou asseyez-vous par terre avec votre grand chien. Placez la brosse entre la joue et la gencive, et frottez doucement de haut en bas en prenant soin de ne pas négliger les dents du fond.

La plupart des chiens se laisseront très bien faire. Ils vous laisseront maintenir leur gueule ouverte d'une main pendant que vous nettoyiez la face intérieure de leurs dents.

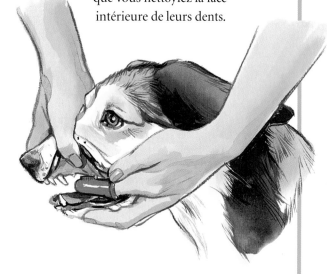

mauvaise haleine, ces affections, si elles ne sont pas traitées, peuvent générer des infections risquant de se propager dans la circulation et de provoquer des problèmes cardiaques et rénaux.

Indigestion. « Quand les dents et les gencives sont en bon état, la mauvaise haleine peut résulter d'une digestion difficile » dit Ehud Sela, vétérinaire. Les indigestions canines proviennent souvent d'aliments gras, comme le porc ou les restes des repas, ou ingérés trop rapidement.

Problèmes internes. « Les chiens dont l'haleine a une odeur d'urine peuvent avoir des problèmes rénaux » explique Tim Banker, vétérinaire. Normalement, les reins purifient le sang en le libérant des déchets, mais s'ils ne fonctionnent pas bien, ces déchets passent dans le sang et provoquent une mauvaise haleine. Une odeur douce, « fruitée », peut indiquer trop de sucre dans le sang, à cause des diabètes. Et une odeur très forte est le signe d'une maladie de foie.

S'il croque une carotte crue tous les deux jours, ce Boxer gardera des dents et des gencives en excellent état.

AU SECOURS !

Une plaque dentaire s'est durcie pour devenir du tartre, c'est le moment de consulter votre vétérinaire. Le tartre est difficile à gratter, et tant qu'il subsiste il attaque le dessus de la gencive. « Les maladies périodontales doivent être soignées de bonne heure, car si elles atteignent un degré avancé, tous les traitements seront moins efficaces » dit Jean Hawkins, vétérinaire.

Faire au mieux

Encouragez les chiens à mastiquer. « La meilleure protection contre la mauvaise haleine et le tartre, c'est la mastication. C'est d'autant plus le cas pour les chiens nourris avec des aliments mous, à qui manque une action décapante qui éviterait la plaque dentaire » dit le docteur Banker.

« La plupart des chiens aiment mastiquer, il ne reste donc qu'à trouver ce qui leur convient. Un jouet en cuir non traité ou en Nylabone l'amusera pendant des heures et protégera ses dents et ses gencives. S'il s'attaque tous les deux jours à une carotte, la plaque disparaîtra, et il bénéficiera en plus de fibres et de vitamines A et C. Et les tendons d'une queue de bœuf cuite joueront le rôle de "fil dentaire", en passant dans les interstices difficiles d'accès » dit le docteur Banker.

Brossage régulier. « Commencez à nettoyer les dents de votre chien dès l'âge de deux mois » recommande le docteur Sela. « Les dents de lait du chiot tomberont, mais il s'habituera ainsi à se

DENTISTERIE CANINE

Vous ne risquez pas de rencontrer un chien ayant mis son dentier dans un verre d'eau, à côté de son panier, mais il arrive que les chiens aient besoin d'interventions. Souvent, leurs dents tombent ou sont abîmées à l'occasion d'un accident, ou bien sont victimes de la malnutrition ; ou alors ils ont rongé des objets trop durs. « Si la dent d'un chien est détériorée, mais récupérable, un dentiste vétérinaire fixera une couronne » dit Kenneth Lyon, spécialiste en dentisterie animale. « Cette couronne fonctionnera exactement comme une dent naturelle et protégera ce qui reste de la dent d'origine. »

Une autre manière de sauver une dent cassée ou abîmée, c'est de la rebâtir avec une céramique composée d'acrylique, et fixée à la dent par une substance qui devient dure comme un roc quand elle reçoit un rayon ultra-violet. Mais il arrive aussi qu'un chien ait besoin de prothèses, qui seront chirurgicalement implantées dans la mâchoire. « Cette pratique s'adresse en général aux chiens utilisés dans les spectacles, ou policiers, ou de garde, et qui doivent toujours paraître – ou mordre – le mieux possible » dit le docteur Lyon.

C'est le cas de Moose, le terrier de Jack Russell qui joue dans le feuilleton télévisé américain très célèbre. Ses dents font sa fortune, si bien que le jour où il a commencé à avoir des problèmes, le docteur Lyon a été appelé au secours. « Moose a subi sept traitements endodontiques pour que ses dents – et sa carrière – soient sauvées » dit le docteur Lyon. Ces soins ont été couronnés de succès, et Moose est resté une star à la télévision.

laisser brosser les dents. » Commencez très doucement, en ne vous occupant que deux dents à la fois, avec une brosse digitale humidifiée de bouillon de poule ou de bœuf. Vous ne tarderez pas à pouvoir utiliser un dentifrice spécifique.

Évitez l'indigestion. « Les chiens qui mangent des aliments riches ou gras, ou changent tout à coup de régime, sont sujets à des problèmes digestifs pouvant entraîner une mauvaise haleine, » dit le docteur Sela.

EN BREF Il existe plusieurs marques de dentifrices pour chiens. Ils contiennent un ingrédient puissant appelé désoxyde de chlorure stabilisé, qui est activé par la chaleur de la gueule. Il détruit les effets secondaires sulfureux produits par les bactéries. Utilisez toujours un dentifrice spécial pour chiens ; ceux de l'homme contiennent trop d'alcool.

PARTICULARITÉ DE LA RACE

Les races naines, comme les Bichons maltais, les Terriers du Yorkshire et les Caniches ont tendance à avoir des problèmes de dents et de gencives. Les dents sont plus serrées chez les petites races, et donc plus propices à garder des particules d'aliments et à fournir un terrain favorable au tartre.

Aboiement

D'après les vétérinaires, le niveau maximum pour la sécurité est de 90 décibels, en ce qui concerne le bruit. Les marteaux-piqueurs dépassent ce volume, de même que les sirènes et les alarmes des voitures. Et comme de nombreux propriétaires en colère peuvent le dire, la situation est identique par rapport au chien des voisins.

D'un point de vue humain, les aboiements persistants sont l'un des pires exemples de mauvaise conduite de la part des chiens. Ce n'est pas leur avis. L'aboiement est pour eux un mode de communication, et alors que certaines personnes parlent énormément, beaucoup de chiens en font autant. « En général, les chiens ont une raison d'aboyer, mais ils ne savent pas souvent laquelle » explique David S. Spiegel, vétérinaire spécialiste des problèmes de comportement canin.

Mais l'aboiement n'est pas qu'une manière de bavardage animal. Les chiens qui aboient si longtemps et si fort qu'ils arrivent à s'enrouer sont en général malheureux ou se sentent menacés. Ils utilisent le bruit pour dissiper leur tension et demander de l'aide.

Les soupçons habituels

Ennui. Il est normal qu'un chien aboie une ou deux fois pour attirer l'attention de son propriétaire. Mais ceux qui n'arrêtent pas d'aboyer, ou qui continuent quand ils sont seuls alors qu'il ne se passe rien,

s'ennuient certainement. L'aboiement exprime leur frustration et contribue à les occuper, explique Jill Yorey, coordinateur du dressage à la *Society for the Prevention of Cruelty to Animals* à Los Angeles.

Protection territoriale. « Les chiens protègent instinctivement leur environnement et aboieront quand des étrangers, humains ou animaux, s'approchent de leur territoire, » dit Susanne B. Johnson, spécialiste du comportement.

Peur. L'ouïe d'un chien est environ quatre fois plus sensible que celle des humains, si bien que des bruits qui nous paraissent normaux,

PARTICULARITÉ DE LA RACE

Les petits chiens comme les Loulous de Poméranie et les Terriers du Yorkshire ont la réputation d'être de grands aboyeurs. Une des raisons de ce comportement, pensent les experts, est qu'ils se rendent compte que leur petite taille les rend difficilement visibles par les humains (et les autres chiens). Ils aboient pour dire « Je suis là, attention à ce que tu fais ». Même ceux à qui on a appris à être attentifs, comme les Colleys barbus (à gauche) et les Cockers spaniels, ont aussi tendance à donner de la voix, dit Robert J. Garcia, vétérinaire.

comme ceux du camion de ramassage des ordures, peuvent les terrifier véritablement, et un chien effrayé aboie.

Angoisse de la séparation. Les chiens très craintifs ou pas sûrs d'eux-mêmes peuvent paniquer dès que leurs maîtres s'absentent. Par compensation – non contents de détruire le mobilier ou de passer par les fenêtres – ils aboient, pendant une demi-heure, une heure ou plus. « Si on laisse un chien trop souvent seul quand il est jeune, il peut prendre l'habitude d'exprimer son mécontentement jusqu'au cours de sa vie d'adulte, » dit Susan E. Anderson, professeur de médecine.

Faire au mieux

Autorisez-les à aboyer. Ça a l'air paradoxal, mais les chiens qui aboient énormément s'arrêteront sans doute si leurs maîtres leur apprennent à aboyer sur commande, et plus tard ils se tairont, dit Kathy Marmack, dresseur dans un zoo.

La première partie est facile. Faites quelque chose qui provoque d'habitude les aboiements de votre chien. Sautez. Agitez-vous. Lancez-lui son jouet préféré. Ouvrez le placard de la cuisine contenant des provisions. Débrouillez-vous pour qu'il aboie – puis faites-lui des compliments et dites-lui « très bien, du calme » au moment où il s'arrête. Grâce à la répétition de ce scénario plusieurs jours de suite, au rythme de cinq minutes par jour, la majorité des chiens apprennent vite à aboyer quand on le leur demande, dit Marmack.

Une fois que les chiens savent aboyer sur commande, ils peuvent aussi apprendre à s'arrêter. Commencez par leur donner l'ordre d'aboyer. Et profitez d'une pause entre deux aboiements pour

Certains chiens aboient parce qu'ils ont appris que cela leur permet d'obtenir ce qu'ils veulent. Récompensez-les pour le silence et non pour le bruit.

leur donner une gâterie en disant « Très bien, du calme ! » Continuez cet exercice jusqu'à ce que votre chien s'arrête d'aboyer chaque fois qu'il entend « du calme ». Cette technique a l'avantage de permettre aux chiens d'aboyer quand ils le veulent spontanément, mais elle vous permet aussi de souffler de temps à autre.

Répondez en aboyant. Les chiens ont horreur des bruits très forts, ce pourquoi les dresseurs recommandent de souffler dans une trompette ou de taper sur deux couvercles de casseroles quand ils se mettent à aboyer. Dès qu'ils auront compris que leur aboiement est suivi d'un bruit épouvantable, ils seront un peu plus calmes, dit Tony Bugarin, dresseur.

Mieux vaut provoquer ces bruits quand vous êtes debout derrière votre chien ou même hors de sa vue, ajoute Bugarin. Vous voulez qu'il soit pris de court, mais non pas qu'il vous associe avec des choses qui ne lui plaisent pas.

Essayez un collier à la citronnelle. Les habitués de l'aboiement s'arrêtent souvent une fois qu'on les a équipés d'un collier à la citronnelle. Ce sont des colliers spéciaux, qui émettent un tout petit jet de citronnelle – extrait de plante dont les chiens n'aiment pas l'odeur – en réponse à l'aboiement. « Ce type de collier est efficace dans 70 % des cas, » dit Linda Goodloe, spécialiste du comportement animal.

Trouvez-leur des occupations. Les chiens qui jouent, mangent, et de façon générale, s'amusent bien, ont beaucoup moins tendance à se laisser aller à aboyer que ceux qui s'ennuient ou sont frustrés. Le problème, c'est que les aboiements ininterrompus ont le plus souvent lieu quand les maîtres sont absents, et que personne n'est donc là pour divertir le chien. La solution, explique Deena Case-Pall, Ph. D., psychologue spécialiste du comportement, c'est de leur permettre de se distraire tout seuls. De nombreux dresseurs recommandent de donner aux chiens des jouets creux, comme les Buster Cubes ou les Kongs, que l'on peut remplir de nourriture. Ils seront très contents de passer des heures à en sortir des gâteries. Et un chien occupé en général n'aboie pas.

Un chien qui prend beaucoup d'exercice aboiera moins, dit Moira Cornell, dresseur. L'idéal, c'est de les promener le matin avant de s'en aller. Ça les fatiguera et leur permettra aussi de brûler une partie de l'énergie qu'ils utilisent pour aboyer.

Diminuez leurs peurs. Comme les gens, les chiens sont susceptibles d'être effrayés par certaines choses et dans certains cas, de s'y accoutumer aussi. Ceux qui aboient parce qu'ils sont craintifs prendront de l'assurance et se calmeront si leurs propriétaires les exposent progressivement aux situations qui les perturbent, dit Moira Cornell. Un chien qui aboie parce qu'il n'a pas l'habitude des enfants, par exemple, les acceptera très bien si vous le promenez à proximité d'écoles ou de terrains de jeux, ou s'il s'aperçoit qu'ils ne constituent pas une menace pour lui. Quand votre chien reste calme face aux enfants, à l'aspirateur, ou à n'importe quoi d'autre qui d'habitude l'effraie, félicitez-le, ajoute-t-elle. S'il aboie, ignorez-le ou bien éloignez-le de cette situation, mais ne le récompensez pas. La combinaison de la familiarité avec la récompense est très efficace pour aider les chiens à prendre confiance en eux et à se calmer. Ce type de dressage, appelé désensibilisation, obtient de meilleurs résultats quand on l'échelonne sur plusieurs semaines ou même des mois,

C'est possible de désensibiliser les chiens aux sons qui les font aboyer en les y habituant progressivement. Ce chien de la race papillon est en train de s'habituer au séchoir, avec l'aide de récompenses et de compliments.

Défense d'entrer

Quand Muncie, un Rottweiler de huit ans, aboie d'une certaine manière, ses propriétaires, James et Julia Rainey, deviennent attentifs et restent à l'écoute. Leur maison de Glenrowan, à Victoria, en Australie, est en bordure d'une brousse qui abrite des rampants dangereux, et quand l'un d'eux s'approche, Muncie prévient la maisonnée. Jusqu'à présent elle avait donné l'alerte pour un énorme mille-pattes, un scorpion et deux serpents. Sa méthode est d'encercler l'animal en émettant un grognement, jusqu'à ce qu'un membre de la famille vienne constater ce qui se passe. Sa victime la plus impressionnante a été un serpent brun de 1,50 m de long, agressif et potentiellement mortel. Muncie lui a enlevé 50 cm de queue avant que Julia n'arrive.

« Elle nous protège sans arrêt, » dit James. « Quand je m'en vais, ça me rassure énormément de savoir que Muncie est à la maison, et qu'elle veille sur ma famille. »

ajoute Moira Cornell. Trop de précipitation rend les chiens plus nerveux.

On peut utiliser la même technique pour diminuer l'angoisse des chiens, dit Sandy Myers, consultante en comportement et dresseur. Ce à quoi vous allez vous consacrer, c'est « apprendre » à partir. Pendant un week-end passé à la maison, faites semblant de vous en aller – mais ne partez pas. Prenez vos clés, faites-les cliqueter, posez-les et asseyez-vous. Puis remuez-les encore. Ou bien ouvrez la porte et refermez-la. En répétant certains de ces rituels qui précèdent le départ, mais sans sortir, votre chien y attachera progressivement moins d'importance, explique Sandy Myers.

Une fois que votre chien sera un peu plus à l'aise face à ces gestes précédant le départ, essayez de sortir, de fermer la porte et de revenir immé-

diatement avant que votre chien n'ait eu le temps de réagir. S'il reste calme, donnez-lui une récompense et félicitez-le. Puis ressortez, et revenez. Autre récompense. Et continuez jusqu'à ce qu'il soit plus détendu. Ensuite tentez de rester plus longtemps à l'extérieur – peut-être quelques secondes seulement pour commencer. Et si votre chien n'a pas bronché, donnez-lui une gâterie et félicitez-le. La plupart d'entre eux seront sensibles à cette technique. Et plus ils seront détendus, moins ils aboieront.

Accordez-leur plus d'attention qu'ils n'en demandent. Les aboyers qui demandent qu'on s'occupe d'eux s'arrêteront peut-être si on leur donne des occupations. « Dites-lui de s'asseoir ou de se coucher », dit Benjamin Hart, vétérinaire et professeur de physiologie et de comportement animal.

Récompensez le silence, pas le bruit. Beaucoup de chiens aboient parce qu'ils ont compris que ça marchait : on les fait sortir, on les récompense, ils attirent l'attention. Autrement dit, on les récompense du bruit qu'ils font. « Pour arrêter ses aboiements, attendez une pause. Alors, donnez à votre chien ce qu'il demande, » dit le docteur Hart. « Il faut le récompenser pour son silence, pas pour le bruit. »

EN BREF Castrer un chien diminuera les aboiements dans environ 50 % des cas, affirme Robert J. Garcia, vétérinaire. Cette opération diminue les instincts de protection du territoire, et en même temps les aboiements.

Taches noires dans le pelage

Pendant les mois d'été, les chiens prennent parfois une apparence mouchetée, comme s'ils avaient été saupoudrés de poivre. On pense qu'ils ont vraiment besoin d'un bon bain, mais la cause est plus gênante qu'un peu de saleté.

Les soupçons habituels

Puces. Les chiens ayant cette apparence sont infestés de puces. Ces petites taches en sont les traces. Elles sont noires parce que le sang dont se nourrissent les puces a pris cette couleur une fois digéré. Les chiens qui ont des puces se grattent et se mordillent inévitablement. Elles se concentrent de

Pour contrôler les puces, brossez votre chien sur une feuille de papier blanc (à gauche). Utilisez ensuite une boule de coton humide pour ramasser ce qui est tombé (ci-dessous). Toute trace de puces sera dissoute, et laissera une tâche brunâtre.

préférence dans la zone autour de la queue, mais il arrive que les chiens aient des démangeaisons partout, surtout quand ils sont allergiques à la salive de puce. Cette allergie est d'ailleurs la plus fréquente chez eux, et une simple piqûre de puce peut être très irritante. La réaction allergique est provoquée par un anticoagulant dans la salive, qui maintient la liquidité du sang dont la puce se régalera.

Les puces adultes qui mordent et causent tant de misère aux chiens ne forment qu'environ 2 % de la population de cette espèce. Le reste se partage entre les étapes de l'œuf, de la larve et du cocon. Tandis qu'il est assez facile de tuer les puces adultes, celles qui se trouvent à l'état de cocon résistent aux insecticides et réussissent à survivre dans les conditions les plus précaires. C'est pourquoi il est si difficile de s'en débarrasser. Peu importe combien vous en éliminez, il y en aura toujours des quantités pour prendre leur place.

Les puces sont surtout un problème saisonnier, bien qu'à l'ère du chauffage central elles puissent sévir toute l'année. Ce qui se passe en général, c'est que les cocons restent dans les tapis et les capitonnages pendant la plus grande partie de l'hiver, pour devenir actifs dès le printemps. Les chiens allergiques aux puces se grattent beaucoup plus longtemps qu'ils ne le feraient pour de simples piqûres. Bien souvent la zone concernée ne se guérira pas à cause des grattements répétés ; la seule chose à faire est d'éliminer les puces.

Fipronil (Frontline), traitement très efficace contre les puces, s'applique à l'arrière du cou, là où le chien ne peut pas se lécher.

Faire au mieux

Empêchez les puces de se multiplier. Les puces peuvent se multiplier à une vitesse étonnante. « Pendant les dix semaines que dure sa vie, une puce femelle pond jusqu'à 2 000 œufs tout petits et glissants. Ceux-ci tombent sur les tapis ou dans les capitonnages, où ils se transforment en larves puis en cocons prêts à éclore, adultes, dès que la température sera suffisamment élevée, » explique Bernadine Cruz, vétérinaire. La seule manière de se débarrasser des puces c'est donc d'interrompre leurs cycles de reproduction.

De nombreux vétérinaires recommandent une prescription appelée Lufénuron pour les chiens se trouvant dans un environnement où il y a des puces. Pris régulièrement sous forme de pilules, ce produit pénètre dans la circulation sanguine, est absorbé par les puces quand elles se nourrissent, explique le docteur Cruz. Une fois qu'il est à l'intérieur de la puce le Lufénuron (Program) empêche les œufs de se développer, et brise donc le cycle de leur vie.

Une autre arme efficace, c'est le Fipronil (Frontline). On le trouve dans les boutiques spécialisées et chez les vétérinaires ; il s'applique en liquide à l'arrière du cou du chien, là où il ne peut pas se lécher. « Il pénètre dans l'épaisseur huileuse de la peau, et passe du follicule d'un poil à l'autre. En 24 heures, il se répandra du nez jusqu'au bout de la queue, » dit le docteur Cruz. « Frontline est un produit sûr pour les chiens et si on a des enfants, parce qu'il n'est pas absorbé par le corps. Une fois qu'il se trouve dans les follicules des poils, il reste actif de 30 à 90 jours » ajoute le docteur Cruz.

« Dans les lieux où les puces sont un problème grave, on peut utiliser Frontline en association avec Program » dit le docteur Cruz. Program interrompt le cycle de la vie et Frontline tue toutes les puces adultes qui proviennent d'autres chiens.

Essayez une poudre. « Bien que ce ne soit pas un soin rapide, un produit chimique, le polyborate de sodium (Rx pour Puces) fournit une

AU SECOURS !

« En quelques semaines, une invasion de puces peut très bien priver un chiot d'assez de sang pour l'affaiblir considérablement et provoquer une anémie » dit Bernadine Cruz, vétérinaire. Pour contrôler l'existence d'une anémie, examinez les gencives du chien, qui doivent être d'un rose vif. Des gencives pâles ou brunâtres peuvent indiquer qu'il est atteint d'anémie ; alors consultez votre vétérinaire.

PROTECTION DE L'INTÉRIEUR

Bien que les médicaments antipuces soient très sûrs et efficaces, beaucoup de gens ne souhaitent pas en donner à leur chien toute l'année. L'une des manières d'éviter les puces sans recourir à cette méthode est de fournir une alimentation d'excellente qualité. « Pour de nombreux chiens qui souffraient de problèmes de puces, un régime très soigné a parfaitement réussi, » dit Susan Wynn, vétérinaire.

« Cherchez une quantité substantielle de protéines de bonne qualité dans la liste des ingrédients - poulet, dinde, bœuf, agneau, poisson, ou œufs. » Le docteur Wynn recommande des produits excellents, comme Innova, Pet Guard, et Nutro. On améliorera tous les régimes en ajoutant en quantités égales des viandes maigres et des légumes, et en s'assurant qu'ils représentent environ 30 % de la totalité des aliments.

sorte d'écran pour l'environnement » dit Susan Wynn, vétérinaire. « Une fois par an, faites pénétrer cette fine poudre dans vos tapis et dans la literie de votre chien » dit le docteur Wynn. C'est facile à faire, si vous acceptez ce que ça représente comme poussière. Ou alors faites appel à une entreprise spécialisée.

Aspirez les puces. « La plupart des puces se cachent dans les tapis et les capitonnages » dit le docteur Cruz. « Pour éviter qu'une nouvelle génération ne prenne la relève, passez l'aspirateur partout dans la maison, et lavez la literie de votre chien une fois par semaine » dit-elle.

Éliminez-les par un bain. La manière la plus rapide d'éliminer les puces, c'est de laver le chien avec un shampooing traitant, de préférence contenant des ingrédients antipuces, les pyréthrines. Ces champignons tuent les puces adultes immédiatement, et l'eau du bain entraînera les autres, dit Tim Banker, vétérinaire. Les shampooings n'ont aucun effet sur les œufs et les larves de puces ; il faut donc donner un bain tous les quinze jours, à mesure que les puces deviennent adultes.

Éliminez-les au peigne. Un toilettage quotidien avec un peigne fin est facile et efficace pour éliminer à la fois les puces et leurs œufs. « Après chaque coup de peigne, plongez-le dans de l'eau savonneuse pour tuer les puces » dit le docteur Wynn. Puis videz l'eau et les puces pour vous en débarrasser pour de bon.

Ce Bichon maltais n'a pas de puces, car après chaque coup de peigne, on plonge celui-ci dans une eau savonneuse, qui tuera les puces et les œufs.

Saignements

La simple vue du sang donne souvent la nausée, mais les saignements ne sont en général pas assez importants pour être un vrai problème, et il est bien rare qu'un mystère en voile les causes. Même les chiens qui passent la plupart de leur temps à la maison peuvent se couper à l'occasion, en général sur les coussinets des pattes ou autour de la gueule s'ils ont mordu un objet tranchant.

Il arrive que les petites coupures saignent énormément, bien que d'habitude cela s'arrête au bout de quelques minutes. Si le sang continue de couler c'est plus grave, soit parce que la blessure est sérieuse ou parce que le chien a un problème médical qui interfère avec la coagulation normale. Des blessures qui ne saignent pas sont elles aussi inquiétantes, car le sang est l'un des moyens que la nature utilise pour se débarrasser des microbes. Les blessures trop petites pour saigner s'infectent souvent.

Les soupçons habituels

Coupures. Un saignement est presque toujours occasionné par des coupures bénignes. Un chien qui s'abîme la patte sur du verre cassé peut énormément saigner, en partie à cause de la force de gravité, et aussi parce que les chiens ne soulèvent pas leurs pattes quand ils se blessent – ils continuent à être actifs, et la cicatrisation en est retardée d'autant. Les coupures inférieures à 3 cm de long et peu profondes se guériront d'elles-mêmes. Celles qui sont plus importantes peuvent nécessiter des points de suture. « Les zones de mauvaise cicatrisation sont les coussinets des pattes, les articulations et autour de l'aine » dit Susann Hosie, vétérinaire.

AU SECOURS !

Un saignement qui ne s'arrête pas rapidement peut être grave – soit parce qu'une artère majeure a été coupée ou parce que le chien a un problème médical qui interfère avec la capacité de guérison de son corps. Il faut consulter un vétérinaire d'urgence.

Comparées aux veines, les artères sont des systèmes à haute pression, qui rendent leur saignement plus difficile à contrôler. Les veines coupées, en revanche, suintent un peu, et cela ne saurait durer. « Les artères coupées peuvent saigner énormément, souvent par à-coups » dit Lillian Roberts, vétérinaire.

Certains chiens ont des problèmes médicaux qui interfèrent avec la capacité de coagulation de leur sang. Même les petites blessures peuvent saigner longtemps. Attention aux appâts empoisonnés contre les rongeurs qui contiennent des anti-coagulants qui risquent de provoquer des hémorragies nasales ou d'autres tissus !

Morsures. Elles figurent parmi les blessures les plus dangereuses, même si elles ne saignent pas beaucoup. Les morsures sont souvent étroites et profondes, et créent un foyer d'infection idéal. Les morsures de chats ont tendance à être les pires, puisque leur salive est remplie de microbes et que les plaies sont excessivement petites. « Un chien gravement mordu par un chat doit absolument être examiné par un vétérinaire » dit le docteur Hosie.

Faire au mieux

Exercez une pression. La première chose à faire, c'est toujours d'essayer d'arrêter l'hémorragie. « Exercez une pression sur la blessure avec un chiffon propre » dit John Angus, vétérinaire. « Si le sang transperce, continuez d'appuyer pour que le caillot arrive à se former. Placez un deuxième chiffon par-dessus le premier et maintenez la pression » conseille le docteur Angus.

Nettoyez la blessure. Le plus grand risque pour la majorité des blessures, ce n'est pas le saignement en soi, mais l'infection qui peut s'ensuivre. Et une fois que des bactéries se trouvent à l'intérieur, il sera très difficile de les chasser. Ce pourquoi il est essentiel de nettoyer une blessure dès le saignement arrêté.

« Lavez abondamment la zone avec du savon et de l'eau tiède » dit le docteur Angus. Prenez tout votre temps. Un nettoyage de plusieurs minutes est vraiment un minimum.

Séchez la plaie avec un chiffon propre ou un tampon de gaze. N'utilisez pas de boules de coton, car les fibres pourraient pénétrer dans la plaie.

Tamponnez généreusement la région avec une solution antiseptique, sans ordonnance, comme la Bétadine. « N'utilisez pas d'alcool qui causerait une sensation de piqûre très douloureuse » dit le docteur Angus.

PREMIERS SECOURS

Un chien qui a des artères coupées peut perdre une énorme quantité de sang très rapidement. N'attendez pas d'arriver chez votre vétérinaire pour arrêter l'hémorragie. Appuyez fort et immédiatement sur la blessure – de préférence avec un chiffon propre, bien que votre main suffise si vous n'avez rien d'autre. Si cela reste inefficace, vous devrez intervenir sur les points de pression. Les points de pression sont les endroits où les principales artères avoisinent de la surface de la peau. En appuyant dessus avec vos doigts, vous réduirez la quantité de sang qui s'écoule. Les grands points de pression se trouvent sous les aisselles, dans l'aine, et juste à la base de la queue. Cherchez le point de pression le plus proche de la blessure – entre la blessure et le cœur – et appuyez fort avec vos trois doigts du milieu jusqu'à ce que le saignement diminue.

Il faut absolument relâcher la pression quelques secondes, et toutes les cinq minutes, pour s'assurer qu'une certaine quantité de sang continue à irriguer les nerfs et les tissus musculaires dans la région de la blessure.

En nettoyant parfaitement les blessures avec de l'eau et du savon, on évite l'installation des bactéries. Les vétérinaires recommandent en général de laver les blessures au moins durant trois à cinq minutes.

Du sang dans les selles

Le sang est la dernière chose que quiconque souhaite voir dans les selles, parce que cela est parfois un signe précurseur du cancer, du moins chez les humains. Les chiens peuvent aussi avoir des cancers de l'intestin, mais en général ce n'est pas la cause de la présence de sang. La plupart du temps, les chiens montrant ce symptôme ne sont pas particulièrement malades, et ils se porteront très bien si on leur administre le traitement approprié.

« Ce n'est pas toujours facile de déceler le sang dans les selles » dit Bonnie Wilcox, vétérinaire. Il est parfois visible en surface, mais il arrive aussi qu'il soit mélangé aux selles et leur donne un aspect noirâtre et goudronneux plutôt que sanguinolent.

« En toute sécurité, vous pouvez ignorer des selles sanglantes une ou deux fois, mais si le troisième jour rien n'a changé, il faut consulter votre vétérinaire » dit le docteur Wilcox.

Les soupçons habituels

Parasites. Le sang dans les selles peut indiquer la présence de trichines, parasites qui se fixent dans le colon et causent une irritation et des saignements. Dans ce cas, le sang est en général à la surface des selles, et est rouge vif. Les ankylostomes, par ailleurs, provoquent des selles goudronneuses. Ils sont plus problématiques que les tricures parce qu'ils peuvent soustraire de grandes quantités de sang et des éléments nutritionnels essentiels, d'où une faiblesse permanente chez le chien.

Infections. Toute infection du tube digestif risque de provoquer une irritation et des saignements. Les chiens qui mangent des aliments crus ou pourris, ou bien du gibier mort, souffrent souvent d'infections bactériennes, que l'on traite aisément grâce aux antibiotiques. Les infections virales, comme la grippe, peuvent aussi entraîner des selles et des diarrhées sanguinolentes. Il n'existe pas de traitement pour la grippe, mais la plupart des infections virales disparaissent d'elles-mêmes en une ou deux semaines.

Objets tranchants. Les chiens sont capables de manger et d'avaler presque n'importe quoi. Un morceau de carton, un cube de jeu de construction, ou une brindille sur le tas de bois de chauffage seront tous soumis au test de leur goût. Le système digestif du chien est extrêmement résistant, mais de petits saignements peuvent cependant se produire quand quelque

Les haies et les buissons sont remplis d'odeurs qui fascinent les chiens – mais ces effluves peuvent provenir de choses dangereuses pour leur appareil digestif, et provoquer des selles sanguinolentes.

AU SECOURS !

Les chiens ont souvent des problèmes intestinaux bénins, qui en général se résolvent d'eux-mêmes, et rapidement. Le cas des chiots est différent. Leur système n'est pas assez fort pour faire face à des changements intestinaux ou stomacaux, et à cause de leur petite taille ils ne peuvent pas se permettre de perdre du sang. « Si leurs selles sont très sanguinolentes, ou si elles s'accompagnent de diarrhée, il faut agir d'urgence dans le cas d'un chiot » dit Christine Wilford, vétérinaire.

chose égratigne la paroi du gros intestin avant la sortie.

Gros corps étrangers. Cette situation est rare, mais il se peut qu'un chien avale un objet trop gros pour qu'il puisse passer. Ceci cause un effort répété de la part de l'intestin, et risque d'entraîner une diarrhée sanguinolente. « La seule solution sera sans doute qu'un vétérinaire ôte cet objet – à la main ou chirurgicalement » dit le docteur Wilcox.

Changements de régime. Malgré les objets étrangers qu'ils sont capables d'ingérer, les chiens ont quand même un estomac très sensible quand il s'agit de changer de régime. Le passage à une nouvelle alimentation aboutira peut-être à des manifestations de protection de la part de leur estomac. Celles-ci risquent d'endommager de

Quand vous emmenez promener votre chien, emportez de l'eau, afin qu'il ne boive pas d'eau « sauvage », qui pourrait être contaminée.

petits vaisseaux en surface, en provoquant des saignements assez abondants.

Faire au mieux

Une journée de jeûne. Puisque les saignements sont souvent causés par rien de plus qu'une petite diarrhée, les vétérinaires recommandent une diète de 24 heures. « Ce qui donne à l'estomac et aux intestins le temps de se remettre de la cause des troubles » dit le docteur Wilcox. « Quand la diarrhée est enrayée, il en va en général de même pour le sang » dit-elle. Les chiens qui jeûnent doivent cependant continuer de boire, alors ne les privez pas d'eau fraîche en grande quantité.

« Les chiens peuvent très bien se passer de manger pendant quelques jours, mais si les saignements continuent, consultez votre vétérinaire au-delà du premier jour » conseille le docteur Wilcox. Prenez un rendez-vous, et éclaircissez la situation.

Attention aux vers. « C'est très facile de protéger les chiens des vers avec les médicaments appropriés » dit le docteur Wilcox. Dans les régions où les

ankylostomes sont fréquents, on leur donne habituellement tous les mois des doses de pamoate de pyrantel, un médicament délivré sans ordonnance. La meilleure façon d'éviter les saignements, c'est sans doute de protéger votre chien contre les parasites en l'empêchant de renifler (ou pire, de manger) les excréments des autres. « Les parasites s'attrapent souvent en reniflant les selles » dit Christine Wilford, vétérinaire. Il est préférable d'enlever tous les jours les selles que vous trouvez dans le jardin, pour être sûr que votre chien ne se réinfectera pas lui-même plus tard.

L'eau peut aussi être un problème puisque beaucoup de cours d'eau sont des foyers de contamination. Si vous habitez près d'une eau « sauvage » ou si vous emmenez votre chien faire de grandes balades, évitez ces problèmes en l'éloignant des sources naturelles et en ne lui donnant que de l'eau du robinet.

PRÉLÈVEMENT D'UN ÉCHANTILLON DE SELLES

Quand on découvre pour la première fois du sang dans les selles de son chien on est plutôt inquiet, et c'est normal. On a tendance à se précipiter chez le vétérinaire sans faire ce qui faciliterait la vie de tout le monde : ramasser un échantillon de selles.

Ça n'est amusant pour personne, mais votre vétérinaire en aura besoin pour établir son diagnostic, dit Christine Wilford, vétérinaire. Inutile de tout ramasser, une petite quantité suffit, ajoute le docteur Wilford.

Pour prélever un échantillon de selles, prenez-le avec un Pooper Scooper (petite pelle), puis transférez-le dans un sac en plastique. Ou bien mettez la main dans un sac en plastique et ramassez. Rabattez le sac par-dessus votre main de manière à ce que les selles soient à l'intérieur. Pliez le sac en faisant sortir l'air, et emportez-le lors de votre consultation, dit le docteur Wilford. Mieux vaut que cet échantillon n'ait pas plus de quelques heures, ajoute-t-elle. Si vous ne pouvez pas vous rendre tout de suite chez le vétérinaire, placez le sac dans le réfrigérateur. « Beaucoup de gens arrivent avec des échantillons durs comme du bois, vieux de plusieurs jours, et qui ne servent pratiquement à rien » dit-elle. L'échantillon doit être examiné quand il est encore mou et relativement frais. Plus il est vieux, plus il y a de chances que les éventuels parasites soient morts et ne puissent pas être détectés.

Un ramasse-crotte en plastique permet de prélever proprement des échantillons de selles.

Du sang dans les urines

ême une toute petite quantité de sang dans l'urètre ou la vessie peut donner à l'urine une couleur rosâtre. Cela fait très peur, mais en général le problème de base n'est pas grave et disparaîtra avec un traitement approprié. Cependant, parce que les vétérinaires ont identifié plus de 50 causes différentes, dont certaines sont très graves, et qui expliquent la présence de sang dans les urines, c'est un symptôme pour lequel il faut toujours consulter votre vétérinaire.

Les soupçons habituels

Infection de la vessie. « La membrane de la vessie est extrêmement sensible, et même des infections bénignes peuvent irriter ce tissu et provoquer de petits saignements » dit Anna Scholey, vétérinaire à Dallas. « On peut soupçonner qu'il s'agit de ce type d'infection quand on remarque des gouttes ou des traînées de sang rouge vif » ajoute-t-elle. Les infections de la vessie sont en général faciles à traiter puisque les antibiotiques se concentrent dans l'urine, ce qui les rend très efficaces.

Infection rénale. Contrairement au sang rouge vif chez les chiens souffrant d'une infection de la vessie, les infections rénales rendent l'urine uniformément sombre et fort nauséabonde. Les reins sont censés filtrer beaucoup de déchets corporels, donc toute infection risque d'être très sérieuse.

Calculs dans la vessie. L'urine est remplie de substances minérales qui normalement restent en solution et s'éliminent du corps avec ce liquide.

AU SECOURS !

Parce que leur appareil urinaire est plus court que celui des mâles, les chiennes risquent d'avoir des infections de la vessie. Les infections utérines sont de loin les plus graves. Tandis que les infections de l'appareil reproducteur sont plutôt rares, elles seront parfois mortelles à défaut de soins d'urgence. Les chiennes qui ont une infection utérine passeront en général la nuit chez le vétérinaire, et recevront sans doute des antibiotiques par voie intraveineuse. Les vétérinaires recommandent souvent de les faire opérer à cette occasion-là.

Mais chez les chiens sujets aux calculs dans la vessie, elles se rassemblent pour former de petites pierres très dures. Une fois qu'un calcul est formé, ces substances continuent de s'y adjoindre de telle sorte que sa taille augmente. « Les calculs rénaux, aussi appelés urolithes, peuvent irriter la paroi de la vessie et causer des saignements. S'ils sont suffisamment gros, ils empêcheront l'urine de s'écouler » dit le docteur Scholey.

Œstrus. Les chiennes qui sont en chaleur font en général des « taches », et laissent des traces de sang partout où elles passent. Le sang n'est pas vraiment dans l'urine, mais il arrive que du sang provenant du vagin se mélange à l'urine et la rende rougeâtre. Les petites races ont en général leurs chaleurs deux fois par an, tandis que les grandes races ont un seul cycle par an.

Problèmes de prostate. Les chiens mâles qui ont du sang dans l'urine ont parfois des infections de la prostate. D'autres symptômes d'une infection de ce type incluent un pénis et des testicules enflés.

Empoisonnement. De nombreux produits destinés à éliminer les rongeurs ont des parfums qui plaisent aux chiens, mais ils contiennent des produits chimiques pouvant entraîner des hémorragies internes qui apparaîtront dans les urines. D'autres signes d'empoisonnement sont le vomissement, la diarrhée, ou l'agitation. Aux chiens qui ont ingéré des produits pour la dératisation, on fera en général une injection de vitamine K, qui peut inverser les effets.

Blessures. Des chiens qui ont reçu un choc violent ou ont été renversés par une voiture peuvent sembler aller bien, mais du sang dans leur urine prouve qu'ils ont eu des blessures internes.

Faire au mieux

Consultation d'urgence. « Bien que la présence de sang dans les urines soit rarement le signe de problèmes majeurs, il est impossible de décider à domicile ce qui est une urgence ou n'en est pas une. Et puisqu'une urine sanguinolente peut être le signe d'une hémorragie interne, il faut gérer la situation et emmener votre chien immédiatement chez le vétérinaire » dit le docteur Scholey.

Donnez-leur beaucoup d'eau fraîche. « Plus les chiens boivent, plus ils urinent, ce qui favorise d'autant l'élimination des bactéries » dit le docteur Dan Carey, vétérinaire dans une firme d'aliments pour animaux. De plus l'eau, en diluant l'urine, contribuera à réduire l'irritation causée par les infections de la vessie.

En donnant aux chiens de nombreuses occasions d'uriner, on leur permet d'éviter des infections de la vessie. Si vous n'êtes pas suffisamment présent, envisagez d'installer une porte " spéciale chien ", afin qu'il puisse sortir chaque fois qu'il en a envie.

Lisez la liste de tous les ingrédients. Certains chiens n'ont jamais d'infections de l'appareil urinaire, tandis que d'autres en ont de manière permanente. « Une façon de diminuer le risque consiste à donner à votre chien une alimentation riche en protéines animales qui rendront l'urine légèrement acide » dit le docteur Carey. « Or les bactéries ont du mal à survivre dans une urine acide » explique-t-il.

Enrayez les infections avec la vitamine C. « De nombreux vétérinaires ont constaté que la prise de vitamine C peut aider à traiter et à prévenir les infections de la vessie – à la fois en stimulant le système immunitaire et en rendant l'urine plus acide » dit le docteur Scholey. Elle recommande aux chiens pesant moins de 10 kg jusqu'à 250 milligrammes de vitamine C par jour. Entre 10 et 25 kg un chien prendra 500 milligrammes, et les très grands chiens 750 à 1 000 milligrammes par jour. « Il est souhaitable de donner aux chiens de la vitamine C tous les jours pendant deux semaines, ou jusqu'à ce que les symptômes aient disparu ».

Difficultés respiratoires

Les problèmes respiratoires sont inquiétants parce que les chiens ont besoin d'énormes quantités d'oxygène, ne serait-ce que pour survivre. Une minime raréfaction de l'oxygène suffira à les fatiguer et à les affaiblir. Plus important, les conditions qui provoquent des troubles respiratoires chez les animaux de compagnie peuvent affecter d'autres parties du corps.

Il arrive que des chiens aient des difficultés à respirer pour des raisons évidentes – par exemple si quelque chose encombre leur trachée. Mais en général, il s'agit d'un problème interne contre lequel ils doivent lutter pour se procurer de l'oxygène.

« Quelle que soit la cause, les chiens qui connaissent ce genre de situation sont très mal à l'aise, et c'est à vous qu'il revient de les soulager au maximum » dit Jerry Woodfield, vétérinaire et cardiologue.

Les soupçons habituels

Anémie. « On a tendance à croire que l'anémie est la cause de la fatigue – ce qui est vrai – mais elle peut aussi provoquer des troubles respiratoires » dit Rance Sellon, vétérinaire spécialiste de la médecine interne. « Les chiens n'ont pas assez de globules rouges pour que l'oxygène se répande dans tout le corps » explique le docteur Sellon.

Le type d'anémie le plus répandu est causé par les saignements. « Les chiens blessés, ou souffrant d'hémorragies internes, risquent très vite de devenir anémiques » dit le docteur Sellon. L'anémie peut aussi provenir de produits dératisants que les chiens absorbent parfois.

Chez les petits chiens et les chiots, une infestation de puces entraînera une anémie. « Les puces, en ingérant de très nombreux globules rouges, provoquent des anémies et des difficultés respiratoires » explique Agnès Rupley, vétérinaire.

« Les chiens anémiés semblent en général fatigués et faibles, et leurs gencives sont pâles » dit le docteur Woodfield. Certains chiens ont évidem-

TROUBLES ESTIVAUX

Le halètement fonctionne comme un appareil de climatisation canin. Il élimine la chaleur de l'intérieur du corps et permet aux chiens de conserver une température normale, entre 38° et 39°.

Un petit halètement est normal, mais les chiens qui respirent vite et rejettent beaucoup d'air chaud peuvent souffrir d'un coup de chaleur, situation dangereuse, car la température interne peut monter jusqu'à 40°.

Il arrive que le coup de chaleur s'accompagne d'autres symptômes, comme la bave, des gencives rouge foncé, ou la faiblesse. Ceci se produit surtout pendant les mois d'été, mais aussi dès qu'un chien a trop chaud. Le coup de chaleur est toujours une urgence. Si vous ne pouvez pas emmener votre chien immédiatement chez votre vétérinaire, plongez-le dans un bain froid, aspergez-le avec le jet d'arrosage, ou emmaillotez-le dans de la glace. Mais n'oubliez pas d'aller en consultation.

PARTICULARITÉ DE LA RACE

Les chiens qui ont une tête aplatie, comme les Pékinois, les Bulldogs, les Lhassa apsos, et les Carlins, naissent souvent avec des narines étroites. De plus, leur palais s'étend loin en arrière, ce qui peut rendre leur respiration difficile, surtout quand ils s'excitent.

ment des gencives noires ou très foncées ; on devra alors contrôler la couleur rose vif de l'intérieur d'une paupière inférieure.

Les chiens anémiés peuvent respirer normalement quand ils sont au repos, mais les efforts, le stress, ou l'excitation provoqueront des difficultés. Dans ce cas, il convient de consulter un vétérinaire, mais on arrive très bien à ramener le nombre de globules rouges à un taux normal.

Maladie cardiaque. « La raison la plus fréquente pour laquelle les chiens ont du mal à respirer est aussi l'une des plus graves » dit le docteur Woodfield. Les chiens ayant une faiblesse cardiaque congestive, situation dans laquelle des liquides s'accumulent dans le cœur et diminuent la quantité de sang dans la circulation, respireront aussi vite qu'ils le peuvent pour fournir plus d'oxygène à leur corps.

Vers cardiaques. « Transportés par les moustiques, les vers cardiaques sont des parasites qui vivent dans le cœur ou les poumons, bloquent les vaisseaux sanguins, endommagent les tissus, et provoquent des difficultés respiratoires » dit C. Dave Richards, vétérinaire.

Infections. « Que les infections soient causées par un virus de la grippe ou par des bactéries dans l'appareil respiratoire, elles entraînent la production de mucus par le corps et déclenchent une enflure des tissus du nez et de la gorge, d'où des problèmes de respiration » dit le docteur Rupley. Les infections se développent rapidement et s'accompagnent parfois d'autres symptômes, comme la fièvre, une diminution de l'énergie, ou une perte d'appétit.

Obstructions. Il est assez fréquent que les chiens ingèrent littéralement un objet qui se coincera dans les voies respiratoires. « J'ai vu des jouets, de gros morceaux de nourriture, des cailloux, et même des balles de tennis dans la gorge ou la trachée » raconte Taylor Wallace, vétérinaire.

Toutes les races qui ont la tête aplatie, comme les Bulldogs anglais, ont tendance à souffrir de problèmes respiratoires à cause de leur nez exceptionnellement court.

AU SECOURS !

Bien que certains petits problèmes, comme des infections bénignes, rendent la respiration des chiens difficile, la plupart du temps la situation est grave. Les chiens qui halètent, étouffent, ou toussent, ou bien qui sont si épuisés qu'ils s'endorment presque debout, doivent être immédiatement examinés par un vétérinaire.

En cas d'urgence, on peut aider un chien à mieux respirer. Si le chien est couché, placez-le sur le côté. « Maintenez son cou tendu, et évitez que quoi que ce soit lui couvre la tête » dit Taylor Wallace, vétérinaire.

« Les chiens à nez court, comme les Terriers de Boston, ont des bronches étroites qui agissent presque comme des obstructions naturelles » dit le docteur Wallace. « Leur anatomie risque d'obstruer partiellement le passage de l'air dans le nez et la gueule. »

Excédent de poids. Une cause fréquente des problèmes respiratoires – et l'une des plus faciles à traiter – c'est l'excédent de poids. Les chiens qui se penchent très souvent sur leur plat risquent d'avoir trop de gras sur le poitrail et l'estomac, ce qui peut entraver la respiration.

Faire au mieux

Bien les nourrir. « Un régime équilibré aidera les chiens à se remettre de nombreux types d'anémie » dit le docteur Craig N. Carter, vétérinaire. « Les vétérinaires recommandent parfois une prescription riche en sels minéraux, en protéines, et en vitamines. Mais ne donnez pas de suppléments ferreux à votre chien ; ils pourraient être toxiques » remarque le docteur Carter.

Ne les nourrissez pas trop bien. Un pourcentage important de chiens pèse trop lourd, ce qui veut dire qu'ils halètent et sont plus essoufflés qu'ils ne le devraient. L'exercice quotidien est recommandé pour perdre du poids, mais il est encore plus important de nourrir son chien comme il le faut. Les vétérinaires recommandent de donner une nourriture pauvre en calories, riches en fibres En même temps vous diminuerez les quantités, et vous le récompenserez plus souvent.

Les vermifuges sous forme de biscuits croquants sont très appréciés des chiens, et ces médicaments sont très efficaces pour une protection à long terme.

Calmez-les. Mis à part les causes de halètements chez votre chien, il faut éviter qu'il s'excite, puisque cela provoque un plus grand besoin de sang et d'oxygène – oxygène qui peut ne pas être disponible immédiatement. « Essayez de calmer et d'apaiser un chien qui a du mal à respirer » recommande le docteur Wallace.

Recherchez les problèmes évidents. Ce n'est pas toujours facile de savoir si un chien à des difficultés respiratoires parce qu'un objet est resté coincé dans sa trachée ou ses narines. « Cherchez tous les indices qui pourraient vous aider à découvrir la cause de ses problèmes, comme par exemple un jouet cassé » dit le docteur Wallace. Et prenez le temps d'ouvrir tout grand la gueule du chien et de regarder à l'intérieur. Même si c'est risqué d'essayer de retirer soi-même un objet, au moins vous saurez s'il faut ou non consulter un vétérinaire.

Luttez contre les vers cardiaques. Il est extrêmement difficile d'éliminer ces parasites dangereux une fois le chien infecté, mais des médicaments pris mensuellement peuvent les prévenir. De plus, ils protégeront aussi votre compagnon contre d'autres vers ou parasites.

PRATIQUE DE LA RESPIRATION ARTIFICIELLE

Si un chien s'arrête de respirer, il faut agir vite pour que ses poumons se remettent à fonctionner et que l'oxygène circule dans son corps.

1 Placez votre chien sur le côté, le cou tendu. Ouvrez sa gueule, et tirez sa langue pour vous assurer que les bronches ne sont pas obstruées.

2 S'il ne respire toujours pas, maintenez sa gueule fermée, et respirez pour lui en soufflant lentement et doucement dans ses naseaux. Continuez jusqu'à ce qu'il se remette à respirer tout seul, ou jusqu'à ce que vous obteniez une consultation vétérinaire.

Il ronge les objets

Les chiens rongent aussi naturellement qu'ils sautent de joie à la vue de leur laisse. Ils ont développé cette habitude à l'époque où leurs repas n'étaient pas somptueux – bien souvent une carcasse mâchonnée bruyamment et en gros morceaux. Aujourd'hui, et par comparaison, les chiens dégustent de la grande cuisine et reçoivent leur nourriture sous une forme qui leur permet de manger une bouchée à la fois. Mais leur passion pour les aliments n'a pas disparu. Quand ils ne les consomment pas, ils s'attaquent à n'importe quoi d'autre, approprié ou pas comme les pieds des chaises, les balles de tennis, ou les mocassins de cuir tout neufs de leurs maîtres.

Si les chiens ne détruisaient pas à l'occasion des objets qui ne leur sont pas destinés, le fait de ronger serait une excellente habitude leur permettant de garder des dents propres. « C'est aussi pour eux une manière d'émettre de la vapeur et de se libérer d'une certaine quantité d'énergie nerveuse » dit Linda Goodloe, diplômée en comportement animal appliqué.

Personne n'ose se plaindre de cette activité si elle cesse quand le chiot devient adulte, ou s'il ne s'intéresse qu'à ses jouets personnels. Mais certains chiens restent des rongeurs leur vie durant, et parfois dévorent tout, excepté leurs jouets.

Les soupçons habituels

Poussées dentaires. Les chiots commencent à ronger à partir de quatre mois, quand leurs dents de lait tombent et que leurs dents d'adultes sortent. « Leur bouche est douloureuse, et le fait de ronger soulage la pression »

PARTICULARITÉ DE LA RACE

Les chiens destinés à chasser à courir ou à rapporter le gibier, comme les Épagneuls et les Labradors retrievers, ont un besoin instinctif de prendre des objets dans leur gueule. Cependant, ils ont été élevés pour avoir des gueules « douces », ce qui veut dire qu'ils tendent à tenir ou à transporter des objets plutôt qu'à les déchiqueter ou les détruire.

dit Robert J. Garcia, vétérinaire privé. À six mois, les chiots ont toutes leurs dents définitives, mais ils continuent souvent cette activité.

Exploration. Une fois les dents définitives poussées, les chiens traversent une phase où ils ont encore plus envie de ronger, car c'est une manière d'explorer le monde.

Anxiété. « Beaucoup de chiens s'ennuient ou ont peur quand ils restent seuls, alors ils rongent

Ce chiot a bien raison de mordiller un jouet qui lui est destiné. C'est très amusant, et ça fait tellement de bien aux gencives douloureuses.

pour se distraire » dit le docteur Goodloe. Ils aiment leurs jouets, mais ils préfèrent quand même ce qui appartient à leurs maîtres, et qui est imprégné d'une odeur humaine leur permettant de se sentir moins seuls.

Ennui. Les chiens n'étaient pas destinés à dormir sur un tapis tout au long de la journée. Ils ont besoin d'exercice, et de beaucoup d'activité physique et mentale. Faute de quoi ils s'ennuient très vite et cherchent des moyens de s'amuser. « Pour eux, ronger c'est l'idéal » dit le docteur Goodloe. « Tout ce qui traîne est une occasion merveilleuse ».

Amusant. Ronger n'est pas toujours une affaire sérieuse. Les chiens adorent mordiller et trouvent très agréable de faire travailler leurs mâchoires et d'enfoncer leurs dents à l'intérieur d'une grande variété d'objets – à défaut de leurs jouets, dans le tuyau d'arrosage du jardin, les fils électriques ou les meubles de bonne qualité.

Faire au mieux

Soulagez la douleur du chiot. L'envie de ronger que connaît le chiot est beaucoup plus forte que votre désir de le voir s'arrêter. « À part le fait de mettre vos objets personnels hors de sa portée, tout ce que vous pouvez faire c'est de soulager la douleur de ses gencives pour diminuer son besoin de ronger » dit le docteur Garcia. Le meilleur moyen, c'est de placer un de ses jouets dans le réfrigérateur pendant une heure ou deux, puis de le lui donner. La plupart des chiots aiment les objets froids, qui agiront en calmant les gencives qu'ils engourdiront.

Arrêtez-les suffisamment tôt. « La plupart des chiens continuent à ronger au-delà de leur petite enfance, et certains n'abandonnent jamais la partie, en

Ce Boxer accepte de restituer ce qu'il n'a pas le droit de déchiqueter, comme les chaussures de son propriétaire, parce qu'on lui offre une gâterie très alléchante – et qu'il sera complimenté pour avoir agi ainsi.

général parce que leurs maîtres s'en accommodent et que ça devient une habitude » dit le docteur Garcia.

« Si vous permettez à votre chien de ronger vos objets personnels, il croira qu'il a cette autorisation bien qu'il soit adulte » dit-il.

« Plutôt que de gronder les chiens parce qu'ils rongent ce qui est défendu, mieux vaut leur donner des objets qu'ils ont le droit de mâcher et les récompenser quand ils s'y intéressent » dit le docteur Lowell Ackerman, Ph. D, vétérinaire dermatologue. Tous les chiens ont des préférences, et vous serez donc obligé de faire des expériences et des erreurs avant de trouver ce qu'il choisira à défaut de vos mocassins.

Ils ont besoin d'occupations. Les chiens inquiets ou qui s'ennuient – catégorie qui comprend presque tous les chiens qui ne sont pas actifs physiquement ou mentalement – cherchent désespérément des occasions de se distraire. Mis à part les promenades, une excellente solution consiste à leur donner des jouets plus amusants. On préférera des jouets en matériau dur, qui offrent un niveau de résistance satisfaisante pour les mâchoires canines. On peut aussi les remplir de nourriture ; votre chien fera ainsi beaucoup d'efforts pour arriver à se procurer les gâteries cachées. La nourriture qui est dissimulée servira de récompense pour avoir grignoté des jouets autorisés.

Comme dans le cas des enfants, les chiens ont vite fait de se lasser de leurs jouets. N'achetez donc pas un ou deux jouets, mais une demi-douzaine. Ne les donnez pas tous à la fois. Chaque jour, sortez un jouet et rangez-en un autre. De la sorte, ils croiront qu'ils ont quotidiennement quelque chose de nouveau.

Essayez le sabotage. Tandis que certains chiens rongent n'importe quoi, d'autres ont une prédilection pour un objet particulier. Peut-être parce que la taille et la texture sont agréables, ou bien parce que l'odeur d'une personne leur plaît. En enrobant cet objet de répulsif contre les animaux de compagnie – ou même d'un peu de sauce piquante, sa fixation ne tardera pas à disparaître. Commencez par étaler le produit sur une petite surface, pour vous assurer que la couleur ne déteint pas.

Les chiens ont horreur des surprises ; certains experts recommandent donc de piéger les objets défendus en mettant quelques pièces de monnaie dans une boîte de conserve vide, et de relier cette boîte à l'objet que vous essayez de protéger. La boîte fera du bruit en tombant, ce qui encouragera le chien à mieux se comporter.

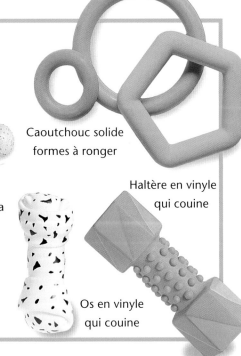

JOUETS À RONGER

Il existe littéralement des centaines de jouets pour chiens, mais ceux qu'ils préfèrent sont faits de substances naturelles, comme la peau non traitée, les os, et les oreilles de cochon. Ces objets ont un peu le goût des animaux, ce que les chiens adorent. Ils ont souvent une odeur de viande, ou salée, et leur taille et leur texture permettent à la mâchoire de bien fonctionner.

L'inconvénient des jouets naturels, c'est qu'ils ne durent pas longtemps. Certaines personnes trouvent plus économique d'acheter des jouets en caoutchouc, en nylon ou en plastique. Beaucoup de chiens s'en accommodent très bien, surtout s'ils sont enrobés (ou remplis) d'un peu de nourriture.

Caoutchouc solide
formes à ronger

Jouet parfumé à la menthe

Haltère en vinyle qui couine

Os en vinyle qui couine

Étouffement

Il existe une structure qui s'appelle le pharynx, à l'entrée de la gorge, et à l'arrière de la bouche. Le pharynx amène l'air dans la trachée, qui est un tube conduisant aux poumons, et la nourriture dans l'œsophage qui, lui, s'ouvre sur l'estomac. Quand l'air passe de travers, cela n'a pas beaucoup d'importance. Mais si les aliments ou des corps étrangers prennent la mauvaise direction, les chiens toussent et ont des haut-le-cœur.

« Ces symptômes ne signifient pas toujours que le chien est en train d'étouffer » dit Karen Zagorsky, vétérinaire. Il arrive très souvent aux chiens d'avoir mal au cœur et de régurgiter pendant quelques secondes. « En revanche, un chien qui étouffe vraiment ne peut pas reprendre son haleine et se trouve dans une situation extrêmement pénible » dit-elle.

Les soupçons habituels

Aliments. Si les chiens fréquentaient les restaurants, tous les serveurs seraient obligés d'être des secouristes chevronnés. Les chiens prennent en général leurs aliments par grosses bouchées qu'ils avalent en quelques secondes – réminiscence de l'époque où ils vivaient à l'état sauvage : ceux qui mangeaient le plus vite survivaient, ceux qui traînaient risquaient de souffrir de la faim. Finalement ils mangent tellement goulûment qu'ils avalent souvent plus de nourriture que leur estomac ne peut en contenir ; le résultat est qu'ils s'étouffent. Un chien qui s'étouffe respire mal, et perdra rapidement conscience si quelqu'un n'est pas là pour l'aider.

Corps étrangers avalés. Les balles de golf et même les balles de tennis sont souvent des causes d'étouffement. « Presque tous les chiens aiment les balles et s'en emparent avec tellement d'empressement qu'elles vont plus loin dans leur gorge qu'il ne le faudrait » dit Kenneth Lyon, vétérinaire spécialisé dans la dentisterie.

Faire au mieux

Retirez le corps étranger. Un chien qui étouffe doit être soigné d'urgence, et à moins que l'étouffement ait lieu dans le cabinet du vétérinaire, c'est vous qui devrez éliminer la cause du problème. « Si vous pouvez voir l'objet, et le retirer facilement, allez-y » dit John Daugherty, vétérinaire privé.

« Un chien qui étouffe est un chien qui panique, et vous risquez de vous faire mordre en introduisant la main dans sa gueule. Si possible, mettez des gants épais avant d'agir. Faute de quoi, attendez quelques secondes. Une fois que l'oxygénation du chien aura diminuée, il s'évanouira rapidement et c'est là que vous pourrez intervenir en prenant beaucoup moins de risques » dit le docteur Daugherty.

Demandez vite du secours. Tout objet ayant pénétré suffisamment profondément dans la gorge pour provoquer un étouffement risque d'être difficile à saisir. Ne perdez pas trop de temps à moins d'avoir l'impression que vous allez réussir. Il est peut-être plus raisonnable d'emmener votre chien immédiatement chez le vétérinaire. « Beaucoup de chiens qui ont avalé quelque chose continuent quand même à respirer – à condition d'arriver à ce qu'ils restent calmes – pendant leur transport jusqu'au cabi-

net du vétérinaire » dit Susann Hosie, vétérinaire.

Faites la manœuvre d'Heimlich. C'est une technique très efficace pour éliminer les objets causant des étouffements. Elle est très simple et ne requiert aucune compétence particulière. « Les manœuvres d'Heimlich font parfois merveille » dit Lynn Harpold, vétérinaire.

LA MANŒUVRE D'HEIMLICH

La manœuvre d'Heimlich a sauvé la vie de beaucoup de chiens et de gens ayant avalé un objet. Une pression exercée sur la partie supérieure de l'abdomen juste au-dessous des côtes pousse le diaphragme vers le haut et contre les poumons, en créant une surtension qui bien souvent provoque le rejet de l'objet. En cas d'urgence, c'est une technique très efficace.

Pour exécuter cette manœuvre, placez-vous derrière votre chien en écartant les jambes, et en entourant le bas de son abdomen de vos deux bras. Soulevez son arrière-train jusqu'à la hauteur de votre poitrine, appuyez sur son ventre et secouez gentiment.

On peut soulever complètement les petits chiens. Pour les gros chiens, il convient de laisser leurs pattes antérieures sur le sol, comme s'ils étaient une brouette.

Il faut une certaine dose de force pour exécuter la manœuvre d'Heimlich correctement, alors n'ayez pas peur d'appuyer suffisamment. La vie de votre chien peut en dépendre.

Changements du pelage

Les poils composant le pelage d'un chien sont constitués par une protéine fibreuse et ferme, qui s'appelle la kératine ; celle-ci est protégée et lubrifiée par des huiles produites dans les petites glandes se trouvant dans la peau. Celui de tous les chiens n'offre pas le même degré de protection. Certaines races ont des poils qui sont par nature plus drus ou plus huileux que d'autres. Mais, en général, le poil d'un chien doit être brillant et sans odeur. Tout changement dans l'apparence habituelle d'un pelage – qui devient terne, sec, gras, feutré ou malodorant – indique l'existence d'un déséquilibre quelconque dans le corps.

Les soupçons habituels

Problèmes de régime. Les chiens dont le pelage devient terne ou sec manquent peut-être d'une substance, l'acide cislinoléique, dans leur nourriture, dit le docteur Lowell Ackerman, vétérinaire et dermatologue. La majorité des fabricants d'alimentation pour animaux incorporent cette substance, bien qu'une partie puisse s'évaporer quand les croquettes sont stockées pendant trop longtemps.

Glandes séborrhées. Il faut environ trois semaines pour que les cellules de la peau se forment, passent de la couche interne jusqu'à la surface, meurent et desquament. Chez les chiens atteints de séborrhée ce processus est accéléré, les cellules mortes s'accumulent rapidement, et donnent une peau et un pelage très sec. La conjonction d'huiles et de débris de peau fournit un terrain propice aux bactéries, ce pourquoi les chiens qui souffrent de séborrhée ont souvent des infections de la peau : ils se grattent et sentent mauvais. Le pelage est gras, et il arrive que l'on trouve des pellicules huileuses et brunâtres aux coudes, aux jarrets et sur les oreilles.

Trop de bains. Les chiens n'ont pas du tout besoin de bains aussi fréquents que les humains. Si vous lavez votre chien trop souvent, vous le priverez des huiles naturelles qui protègent son pelage, qui deviendra sec et terne.

L'âge. Le fonctionnement de leur corps ralentit à mesure que les chiens vieillissent. Les huiles et les substances nutritives mettent plus de temps pour atteindre la peau, et le pelage s'en ressent.

Manque de brossage. Un toilettage régulier va au-delà de l'apparence. Il élimine les poils dès qu'ils tombent et empêche leur accumulation contre la peau.

Faire au mieux

Ajoutez de l'huile dans leurs aliments. « L'ajout d'acide cislinoléique dans la nourriture du chien est souvent la meilleure manière de donner des reflets à son pelage » dit le docteur Ackerman. « Les huiles qui contiennent cet acide

PARTICULARITÉ DE LA RACE

On pense que la séborrhée est un problème héréditaire, et les Cockers américains, les West Highland white terriers risquent beaucoup d'en souffrir.

incluent le carthame, le tournesol, et les huiles de lin. Essayez de mélanger l'une d'elles aux aliments de votre chien quotidiennement » dit-il. Pour les petites races, ajoutez environ une cuiller à café. Pour les chiens de taille moyenne, deux cuillers à café, et pour les grandes races une cuiller à soupe.

Employez un shampooing traitant. Bien que la majorité des chiens n'aient pas besoin de bains fréquents, ceux qui souffrent de séborrhée iront mieux si on les lave une fois par semaine avec un shampooing traitant. Les vétérinaires recommandent en général les shampooings à l'huile, qui contiennent du soufre ou du goudron. « Faites-le mousser, et laissez reposer pendant une dizaine de minutes » conseille Lila Miller, vétérinaire conseil. Ensuite, rincez abondamment.

Brossages fréquents. « Le brossage permet d'ôter des poils et il améliore la circulation de l'air autour de la peau et à travers le pelage. Il stimule aussi les glandes qui produiront plus d'huile, et le pelage sera d'autant plus brillant » dit Michael Cavanaugh, vétérinaire privé.

Le brossage sera plus efficace si vous procédez par petits coups fermes, brefs, et profonds. Commencez par brosser votre chien de la tête à la queue. Puis une seconde fois, en sens inverse. En travaillant à rebrousse-poil, on parvient mieux à déloger les poils morts. Le pelage aura meilleure allure au bout de deux semaines de soin quotidien. Ensuite, vous pourrez espacer jusqu'à une fois par semaine.

Un brossage régulier est toujours recommandé, mais certaines races, comme les Pointers, les Labradors retrievers, et les Retrievers de la baie de Chesapeake, n'ont pas besoin de tant d'attention. Leurs pelages sont naturellement gras. En fait, ils fonctionnent comme un imperméable légèrement huileux et ils ont des propriétés qui leur permet-tent de protéger de l'eau. Trop de brossages réduiraient l'efficacité de ce système.

Ne les baignez que si c'est nécessaire. Le pelage des chiens est autonettoyant, et il n'y a aucune raison de les laver fréquemment, à moins qu'ils ne soient particulièrement sales. Les chiens qui vivent dehors ont en général besoin d'un bain par mois, tandis que les chiens d'appartement se contentent d'un bain par an. Les vétérinaires recommandent d'utiliser un shampooing spécial, car ceux des humains sont trop forts et anéantiraient l'effet des huiles protectrices. Les shampooings pour bébé font aussi bien l'affaire. De même qu'un produit pour laver la vaisselle, à condition qu'il soit léger.

EN BREF Une manière rapide de faire briller le pelage d'un chien consiste à le frotter avec un mélange de farine de maïs et de talc, ou avec du son d'avoine séchée et un peu tiède. Puis brossez-le. Le son ou la farine de maïs absorbera la saleté et l'huile.

Du son d'avoine tiède ou de l'amidon, mélangé avec du talc, composera un shampooing sec très efficace.

Confusion

Il n'y a rien de plus inquiétant que voir des chiens qui ont perdu une partie de leurs facultés mentales. Ils lèvent la tête, rabattent leurs oreilles, et leurs yeux sont vides et vitreux. On constate un état de confusion, et c'est effrayant.

« Comme c'est le cas pour les gens, quand les chiens vieillissent une dégénérescence des nerfs a lieu » dit Joe Butterweck, vétérinaire. Les chiens âgés peuvent aussi souffrir d'une diminution de la vue et de l'ouïe, ce qui ajoute à leur confusion physique et émotionnelle.

« Cependant, la confusion n'est jamais normale » ajoute le docteur Butterweck. Que votre chien soit âgé ou tout jeune, elle signifie qu'il existe un problème qui doit être traité.

Les soupçons habituels

Blessures à la tête. Les chiens ont le crâne moins épais que les humains, si bien que des chocs peu violents ou des bosses à la tête peuvent leur faire perdre l'équilibre et les désorienter. La confu-

AU SECOURS !

La confusion mentale est un symptôme sérieux et dans tous les cas il faut emmener votre chien chez le vétérinaire. Même si votre compagnon n'est plus tout jeune, ne mettez pas cela sur le compte de l'âge. Les vieux chiens et les vieux chats ne doivent pas être désorientés dans leur environnement habituel.

PARTICULARITÉ DE LA RACE

Les chiens au nez court, comme les Carlins (ici), les Pékinois et les Bulldogs, souffrent de coups de chaleur, parce que leur système respiratoire est plus court, ce qui diminue leur capacité à se libérer de la chaleur par le halètement.

sion est en général temporaire, et la majorité des chiens s'en remettent très bien.

Crises. On s'imagine que les crises d'épilepsie occasionnent des symptômes graves comme se débattre ou grincer des dents. Mais beaucoup de chiens épileptiques ont des symptômes atténués – ces crises ne durant que quelques minutes ou quelques heures – et se limitant à des tremblements. Un chien épileptique doit être suivi par son vétérinaire, mais le plus souvent les crises en soi sont sans danger.

Pression sur le cerveau. « Tout ce qui pèse sur le cerveau, qu'il s'agisse d'une tumeur ou d'une enflure causée par une infection, peut provoquer chez le chien une désorientation » dit John Saidla, vétérinaire formateur.

Maladie des jeunes chiens. « Si un chien contracte la maladie des jeunes chiens, ou une très forte fièvre dans son jeune âge, il risque de souffrir plus tard de confusion » dit Susanne B. Johnson, spécialiste du comportement animal.

chaleur, qui peut entraîner une confusion mentale et une extrême fatigue.

Faire au mieux

Facilitez-leur la vie. « Mis à part l'attention apportée à la cause de la confusion mentale, il faut faire tout votre possible pour que votre chien se sente bien, en sécurité, et rassuré » dit le docteur Johnson. C'est plus spécialement vrai pour les animaux âgés et devenus plus ou moins séniles. Les chiens atteints de confusion mentale sont souvent effrayés, et si vous leur accordez une attention maximale, vous les aiderez à rester calmes et à se détendre. Il faut aussi éviter d'opérer des changements dans leur envi-

Avec l'âge, de nombreux animaux domestiques souffrent de confusion. En leur accordant plus de temps et d'affection, on les aidera à rester calmes.

Diabètes. Les chiens atteints de diabètes ont un taux de sucre élevé dans le sang, mais seule une infime partie de ce sucre est susceptible de monter au cerveau. Par manque de sucre, les chiens peuvent être désorientés et souffrir de confusion mentale, dit le docteur Saidla. Outre l'insuline, votre vétérinaire vous recommandera peut-être de lui donner un régime adapté, et de lui faire prendre de l'exercice, ce qui contribuera à rééquilibrer la situation.

Poisons. Les empoisonnements sont fréquemment la cause de la confusion mentale, en raison de la grande quantité de produits chimiques qui ont été ingérés, depuis les décapants se trouvant dans le placard de la cuisine jusqu'à l'antigel dans le garage. D'autres symptômes d'empoisonnement sont les vomissements, les vertiges, ou des difficultés à marcher ou à se tenir debout.

Coup de chaleur. Les chiens ne transpirent pas beaucoup, et la seule manière dont ils se libèrent de la chaleur est le halètement. Quand ils ne réussissent pas à haleter suffisamment pour se refroidir, ils risquent de souffrir d'un coup de

ronnement. Ils doivent savoir où se trouvent leur plat et leur bol d'eau – cela les réconfortera. « Ne vous attendez pas à ce que votre vieux compagnon fonctionne au mieux » ajoute le docteur Johnson. « Éliminez les surprises et conformez-vous à la routine, dans la mesure du possible ».

Les déclencheurs de crises. En général, les crises ne sont pas dangereuses en soi, mais elles peuvent laisser les chiens effrayés et perdus. Ceux qui sont sujets à l'épilepsie ont tendance à avoir des crises en cas de stimulations ; les vétérinaires recommandent donc de les maintenir au calme, en évitant les bruits trop forts et en leur ménageant une activité ralentie.

Stabilisez le taux de sucre dans le sang. Les vétérinaires ont découvert que même les chiens ayant besoin d'insuline pour contrôler leurs diabètes conservent de meilleurs taux de sucre dans le sang quand ils mangent de petites quantités de nourriture plusieurs fois par jour, au lieu d'un ou deux repas abondants. Le fait de manger souvent, en moindre quantité, garantit la régularité du taux de sucre, contrairement aux situations de hauts et de bas constatées quand les chiens ne mangent qu'une fois par jour. De plus, votre vétérinaire est en mesure de vous recommander un régime personnalisé pour assurer la régularité de cet état.

Garantissez-leur la fraîcheur. Le coup de chaleur figure parmi les situations les plus périlleuses auxquelles les chiens sont sujets, résultant parfois dans une atteinte au cerveau, en l'espace de quelques heures. La meilleure protection, c'est de s'assurer que les chiens disposent toujours d'un lieu ombragé où se retirer quand ils restent à l'extérieur, et de les surveiller de près quand vous marchez ou vous jouez avec eux par temps chaud. Les chiens sur le point d'avoir un coup de chaleur halètent lourde-

Certains virus provoquent des infections du cerveau, qui engendrent la confusion. On peut aisément s'en protéger grâce à des vaccins réguliers.

ment, et ont parfois la langue rouge vif. Ils risquent aussi de tomber littéralement de fatigue.

« Si vous ne faites que soupçonner que votre chien a un coup de chaleur, emmenez-le tout de suite chez le vétérinaire » dit le docteur Butterweck. En cas d'impossibilité, faites tout votre possible pour abaisser sa température : placez-le dans une baignoire remplie d'eau froide, par exemple, ou aspergez-le avec le tuyau d'arrosage. Mais n'oubliez pas de consulter votre vétérinaire dès que possible.

Faites-les vacciner régulièrement. Les virus comme la maladie des jeunes chiens peuvent provoquer une encéphalite, infection cérébrale qui risque d'entraîner une grande confusion – et même pire. Le respect absolu des vaccins indispensables est la seule manière de le protéger de cette maladie. Votre vétérinaire fera les injections nécessaires, mais vous devez veiller à les renouveler le moment venu. C'est indispensable, car cette infection est incurable.

55

Constipation

Quiconque utilise un Pooper Scooper (petite pelle) peut en témoigner : la plupart des chiens ne souffrent pas de constipation. Leur appareil digestif est suffisamment efficace, et c'est la manière dont la nature compense leur appétit souvent vorace. Mais il arrive que leurs selles soient trop dures ou trop petites pour stimuler les mouvements ondoyants de leurs intestins, qui permettent au corps de les éliminer. Ou peut-être leur fonctionnement intestinal aura-t-il perdu de son « tonus ». De toute façon, le résultat est un manque de régularité.

Ce n'est pas toujours facile de décider si un chien est constipé ou non, car chacun d'entre eux a ses habitudes personnelles. Certains vont trois ou quatre fois à la selle par jour, d'autres une seule fois. « Le guide le plus fiable, c'est de savoir précisément comment se comporte votre chien au quotidien » dit Dan Carey, vétérinaire. « Il n'y a pas lieu de s'inquiéter outre mesure si un chien est constipé » ajoute le docteur Carey. Des selles qui s'accumulent pendant un jour ou deux ne sont pas nuisibles, et d'habitude tout rentre dans l'ordre assez rapidement. Mais une constipation qui dure plus de deux jours, qui engendre des douleurs ou des efforts inutiles, doit être soignée.

Les soupçons habituels

Trop peu de fibres. Les fibres alimentaires, indigestes et bénéfiques, que l'on trouve dans les légumes, ont été surnommées « le balai de l'intestin » parce qu'elles permettent aux selles de s'éliminer plus rapidement. La plupart des aliments pour animaux disponibles dans le commerce contiennent une grande quantité de céréales riches en fibres. Par contre, les chiens qui se nourrissent surtout de viande risquent d'en manquer.

Pas assez d'eau. Les selles absorbent énormément d'eau dans l'appareil digestif, et en gonflant elles stimulent les intestins. Les chiens qui boivent peu – soit parce qu'ils en manquent ou parce que leurs mécanismes de la soif ne sont pas aussi sensibles qu'ils devraient l'être – sont fréquemment constipés puisque leurs selles sont trop dures et trop petites pour stimuler des mouvements intestinaux.

Manque d'exercice. Le gros intestin est un muscle, et en tant que tel il a besoin d'un exercice régulier, pour fonctionner de manière efficace. « Si votre chien se repose toute la journée, son intestin fait de même » dit Bill Martin, vétérinaire en Caroline.

Ce Dalmatien s'amuse énormément à déchiqueter une bouteille en plastique, mais les débris risquent de s'accumuler dans son intestin et de le bloquer.

Un exercice régulier et vigoureux maintient ces Golden retrievers dans une excellente forme, et très heureux.

Excédent de poids. Les chiens un peu dodus encourent plus de risques d'être constipés parce que des dépôts de graisse dans l'abdomen peuvent interférer avec les mouvements normaux de l'intestin.

Ils mangent des ordures. Les chiens qui se servent dans les ordures seront plus facilement sujets à la diarrhée qu'à la constipation, excepté s'ils mangent du carton, du papier ou du plastique, qui peuvent partiellement bloquer le transit intestinal et rendre difficile l'expulsion des selles.

Faire au mieux

Adjonction de fibres végétales. La plupart des chiens bénéficient d'une abondante quantité de fibres dans leur alimentation quotidienne, mais vous pouvez ajouter un petit supplément dans leur ration pour éviter la constipation. « L'une des meilleures sources de fibres est le psyllium » dit Anna Scholey, vétérinaire. On peut acheter des gousses de psyllium en vrac, ou des capsules de psyllium dans les boutiques spécialisées dans la diététique. Le Métamucil, laxatif délivré sans ordonnance, contient beaucoup de psyllium et s'avère dépourvu de risques. Si vous choisissez le Métamucil, en gouttes ou mélangé à la nourriture, limitez-vous à une demi-cuiller à café par jour pour les petits chiens, et jusqu'à deux cuillers à café pour les chiens appartenant à des races plus grandes. « Le son de l'avoine non traité est aussi une manière très efficace de gérer l'absorption de fibres » dit le docteur Scholey. On le trouve dans les supermarchés ou dans les boutiques de diététique ; et mélangez-le avec leur repas habituel. Donnez une cuiller à café par jour aux petits chiens, deux cuillers à café aux chiens de taille moyenne, et trois cuillers à café pour les grands chiens.

« Pour plus de facilité, on peut inclure des fibres végétales au régime des chiens en mélangeant des pâtes non traitées ou du brocoli et des carottes légèrement passés à la vapeur dans leur nourriture habituelle » dit le docteur Scholey. L'effet des fibres est assez rapide, et on constatera un résultat au bout d'un ou deux jours après la prise de ces ingrédients.

Tandis que d'autres fibres permettent à l'appareil digestif de travailler plus en douceur, un excédent risque aussi de le ralentir, surtout si votre chien ne boit pas assez, dit le docteur Carey. « Il arrive que des gens donnent à leurs chiens trop de fibres végétales sous forme de gousses de psyllium, ou de son », explique-t-il. « Ce qui peut augmenter le volume des selles, mais diminuer aussi leur humidité ».

« L'idéal, c'est de fournir aux chiens un complément de fibres tant qu'on s'assure qu'ils boivent beaucoup » ajoute-t-il. Une manière de les y encourager, c'est d'ajouter un parfum à leur eau quotidienne, ou de leur proposer par exemple du bouillon cube, ou une boisson de sportifs, comme

la Gatorade. Ce goût leur plaît énormément et leur permet de s'hydrater au mieux.

Faire prendre de l'exercice. « Les chiens qui prennent de l'exercice seront beaucoup moins sujets à la constipation que ceux qui se reposent toute la journée » dit le docteur Carey. « La seule exception par rapport à un exercice physique survenant immédiatement après le repas vous concerne dans le cas d'un chien à large poitrail, comme un grand Danois ou un Boxer. Ceux-ci encourent un gros risque de ballonnement, situation périlleuse où l'estomac se remplit d'air qui y subsiste, mais on peut l'éviter, on peut diminuer ce risque en leur accordant une heure de repos avant et après leur repas » dit le docteur Scholey.

Nourrissez-les plus souvent. « Leur estomac et leur colon travaillent en coopération : quand l'estomac accepte une nourriture, il informe le colon de se tenir prêt » dit le docteur Carey. « Dans le cas de chiens tendant à être constipés parce qu'ils ne consomment qu'un seul et gros repas par jour, essayez de stimuler leurs réflexes en leur donnant trois petits repas quotidiens, dit-il. Cela peut stimuler leur fonctionnement ».

Un supplément de fibres comme du Metamucil ou des nouilles au blé complet, et des légumes cuits à la vapeur, soulagera une constipation occasionnelle.

Au secours !

Sil existe une chose que les chiens adorent, plutôt que d'enterrer des os, c'est de les mordiller. Les chiens sont capables de réduire un os en mille morceaux, mais il arrive que ces fragments se collent à leurs parois intestinales, et les empêchent d'avoir des selles normales. Plus les selles stagnent, plus elles grossissent et durcissent jusqu'à obstruer complètement le passage, dit Bill Martin, vétérinaire. Les chiens souffrant de ce genre de constipation, appelée obstipation, feront des efforts désespérés pour aller à la selle et seront très mal en point. L'obstipation peut être grave, et il faut avoir recours à votre vétérinaire si ce trouble se prolonge au-delà de deux jours.

EN BREF « Ceci n'est pas une blague, mais la manière la plus rapide de soulager votre chien de la constipation, c'est de lui donner les mêmes suppositoires, délivrés sans ordonnance, que ceux destinés aux humains » dit le docteur Carey. Enrobez le suppositoire d'un peu de glycérine ou de vaseline, et placez-le doucement dans le rectum. Il fondra dans les 5 à 10 minutes, lubrifiera et adoucira les selles. Sortez alors votre chien, et attendez que la nature veuille bien œuvrer. Pour les chiens de 10 kg et au-dessous, donnez la dose junior, une fois par jour. Les chiens plus grands peuvent recevoir les suppositoires destinés aux adultes. Si votre chien ne s'est pas libéré au bout de quelques jours, le docteur Carey conseille d'appeler votre vétérinaire.

Toux

Tim Banker, vétérinaire dit : « Les chiens ne toussent que relativement peu par rapport aux humains, et si cela leur arrive ils ont sans doute une infection virale ou une bronchite quelconque ». La toux, quelle qu'en soit la cause, se dissipera d'elle-même en quelques jours. Mais les chiens qui ne s'arrêtent pas, ou bien qui montrent d'autres symptômes, comme la fatigue ou la perte d'appétit, auront besoin d'une consultation.

Les soupçons habituels

Infections. « Les chiens qui ont une toux aiguë et sèche souffrent en général d'une toux de chenil. Causée pour une variété d'infections d'origine virale, bactérienne ou fongique, cette toux est rarement sérieuse, mais extrêmement contagieuse » dit Roland Tripp, vétérinaire. « Malgré son appellation, les chiens provenant de chenils en sont rarement porteurs, les propriétaires exigeant en général des vaccinations avant d'accepter des pensionnaires. Comme dans le cas des rhumes, de la grippe ou de n'importe quelle infection, les chiens peuvent attraper ce type de toux n'importe où » dit le docteur Tripp. « Les infections qui en sont la cause disparaissent la plupart du temps au bout de huit à quinze jours et sans traitement, mais le chien risque de tousser pendant plusieurs semaines. Chez les chiots, ou chez les chiens souffrant d'autres maladies, la toux de chenil peut se transformer en une autre infection, plus sérieuse, et qui nécessite des soins vétérinaires » dit le docteur Banker.

Bronchite. « Les poumons contiennent de nombreuses voies respiratoires, qu'on appelle les bronches. Quand elles sont irritées – par des émanations de produits chimiques, la fumée de cigarette, des produits domestiques vaporisés, des pollens de plantes, comme l'herbe à poux ou le pâturin des prés, ou d'autres allergènes – elles s'enflamment et se rétrécissent ; cet état s'appelle la bronchite. Les chiens atteints de cette maladie ont une toux poussive et des difficultés respiratoires » dit le docteur Banker.

Faire au mieux

Arrêtez la toux. « Bien que la majorité des toux disparaissent d'elles-mêmes, elles peuvent cependant irriter la gorge et provoquer une grande

Les pollens de pâturin des prés (ci-dessous), et d'herbe à poux (à droite) causent des allergies, et une toux sifflante très inconfortable, quand ils pénètrent dans les fosses nasales des chiens.

fatigue. Des sirops, délivrés sans ordonnance, enrayeront assez vite ces manifestations » dit Anna Scholey, vétérinaire. Elle recommande l'emploi d'un sirop antitussif contenant un ingrédient actif, le Dextrométhorphane qui a un effet très puissant. « Le Dextrométhorphane est chimiquement semblable à la morphine, et agit directement sur le cerveau en supprimant le reflex de la toux » explique le docteur Scholey. La douceur du sirop soulagera aussi la gorge irritée. Quand la toux est vraiment gênante, donnez une demi-cuiller à café jusqu'à 5 kg, une cuiller à café pour environ 10 kg et deux cuillers à café aux chiens de 20 kg et au-delà.

Stimulez le système immunitaire. « Les experts ont découvert que la vitamine C stimulait le système immunitaire des chiens en leur permettant de mieux lutter contre les infections » dit le docteur Scholey. Elle recommande 100 milligrammes de vitamine C par jour pour les petites races, 250 milligrammes par jour pour les chiens moyens et jusqu'à 500 milligrammes par jour pour les grands chiens.

« Le problème de la vitamine C est le risque de diarrhée » ajoute-t-elle. « Si votre chien a des selles molles, diminuez la dose de moitié, et voyez si la situation s'améliore » conseille-t-elle.

Encouragez-les à manger. « Les chiens souffrant de la toux de chenil répugnent bien souvent à manger parce qu'ils ont mal à la gorge, ce qui peut être problématique puisqu'ils ont d'autant plus besoin de se nourrir pour aider leur système immunitaire à les protéger d'infections secondaires » explique le docteur Banker. « Une manière de les encourager à manger consiste à réchauffer un peu leur repas, ce qui permet à l'arôme de monter et de stimuler leur appétit »

dit-il. Il recommande aussi d'ajouter du bouillon de poule ou de bœuf dans leur nourriture. Ce sera plus appétissant et ils l'avaleront de meilleur gré.

Assurez-leur le confort et le calme. Le corps a des ressources limitées, et les chiens souffrant de toux de chenil ont besoin de ménager leur énergie pour accélérer le processus de guérison. Le docteur Banker recommande de leur donner un minimum d'exercice jusqu'à ce que leur état s'améliore. C'est aussi important qu'ils soient au chaud et au sec, car l'humidité et l'air froid augmentent les risques que cette toux n'empire et ne se transforme peut-être en pneumonie.

Ils doivent respirer un air pur. « Même quand la bronchite n'est pas causée par des produits irritants transportés par l'air, le fait de respirer des pollens, la poussière ou même du parfum empire immanquablement la situation. Un dépoussiérage et un ménage plus fréquents qu'à l'accoutumée contribueront à diminuer le nombre de particules irritantes qui entreront dans les poumons de votre chien » dit le docteur Banker. Il convient aussi de changer les filtres du climatiseur

PARTICULARITÉ DE LA RACE

Les Pékinois (à gauche), les Bulldogs, et les autres races à nez courts sont sujettes aux infections respiratoires, parce qu'elles ont en général des voies respiratoires étroites, leurs têtes étant relativement plates. Non seulement elles souffrent d'infections respiratoires plus fréquemment que les autres races, mais ces maladies tendent à être plus graves.

AU SECOURS !

Une toux occasionnelle ne signifie pas qu'il faille s'inquiéter, mais un chien qui se met subitement à tousser énormément, surtout la nuit, ou après avoir pris de l'exercice, a besoin d'être aussitôt examiné par un vétérinaire, car c'est l'un des principaux signes d'une insuffisance cardiaque congestive.

Chez les chiens souffrant de cette insuffisance, le cœur ne peut pas pomper le sang assez vite. Ceci provoque une stagnation des fluides dans les poumons, entraînant une toux persistante, dit Lowell Ackerman, vétérinaire et dermatologue. Les chiens atteints d'insuffisance cardiaque congestive ont besoin de médicaments qui aideront à l'élimination de l'excédent de liquides. Ils auront aussi peut-être besoin d'un changement de régime, en passant par exemple à une nourriture pauvre en sel, explique le docteur Ackerman. Les vers cardiaques sont l'une des causes de cette insuffisance, dit le docteur Ackerman. Transmis par les moustiques, ils peuvent atteindre jusqu'à 30 cm de long, et s'installer dans le cœur ou les poumons.

environ une fois par mois. Il est aussi recommandé d'utiliser le système de nettoyage de l'air appelé ozonateur. « Tout ceci contribue à réduire la quantité de poussière et de pollen dans l'air, » dit-il.

Investissez dans un licou. Même les chiens qui passent la majorité de leur temps à somnoler pendant leur convalescence ont besoin de marcher de temps en temps. Mais quand ils ont de la bronchite, la moindre pression exercée par le collier et la laisse traditionnels peut provoquer la toux. Une bonne alternative est un harnais ou un licou, tous deux vous permettant de contrôler votre chien sans appuyer sur sa gorge.

Bien que les harnais soient efficaces, le docteur Tripp préfère utiliser les licous, que l'on trouve dans les boutiques spécialisées. « Un harnais laisse peu de marge de contrôle au propriétaire, tandis qu'un licou n'irritera pas la gorge du chien, tout en permettant une excellente maîtrise » dit-il.

EN BREF « L'une des raisons pour lesquelles les chiens toussent quand ils sont malades, c'est que les infections éliminent l'humidité des tissus délicats de la gorge. En humidifiant l'air avec un vaporisateur, on remédiera facilement à cette situation » dit le docteur Scholey. L'inhalation d'air humide réduit la toux et permet de mieux respirer. Une goutte ou deux d'huile d'eucalyptus ou un petit coup de Vicks dans un vaporisateur aidera à dilater les voies du passage de l'air dans les poumons ; votre chien toussera moins et respirera mieux.

Un licou de tête permet un contrôle parfait sans irriter les membranes délicates qui recouvrent la gorge.

Pellicules

Cela n'a rien de douloureux et peut s'éterniser sans pour autant générer des problèmes, ce pourquoi on a tendance à ignorer les pellicules qui affectent un chien. C'est une erreur, car elles sont la preuve que le corps souffre d'un certain déséquilibre.

Les soupçons habituels

Peau sèche. « La plupart des chiens qui ont des pellicules offrent une peau plus sèche que la normale, dont les cellules épidermiques se détachent suffisamment vite pour être visibles sur le pelage » dit le docteur Peter S. Sakas, vétérinaire. Certains chiens n'ont une peau sèche qu'en hiver, et leurs pellicules tombent au printemps ou en été, à cause d'une humidité relative. D'autres souffrent de séborrhée sèche, et la nature les a faits ainsi.

« Bien que les pellicules ne soient pas l'occasion de symptômes, c'est cependant le signe d'une peau sèche. Elles peuvent provoquer de fortes démangeaisons » dit Robert Rizzitano, vétérinaire.

Problèmes alimentaires. « Les substances nutritives entretiennent les organes, les muscles, le sang et les autres parties du corps. Mais la peau arrive en dernier dans la chaîne de livraison ; c'est donc là qu'apparaissent en premier lieu les problèmes alimentaires » dit Dan Carey, vétérinaire conseil d'une société d'alimentation américaine.

« Les chiens ont besoin de certains éléments nutritifs, surtout des acides gras, pour que leur peau soit en bon état. La majorité des produits alimentaires qui leur sont destinés en contiennent de grandes quantités, mais certains chiens ont besoin d'en consommer plus que d'autres. En outre, les chiens recevant de la nourriture faite à la maison ou générique risquent de manquer d'acides gras, de vitamines B, ou de zinc » dit le docteur Carey.

Bains rares et brossages limités. Les chiens n'ont pas besoin de se baigner autant que les humains, mais quand ils ont un poil long ou épais, l'air n'atteint pas toujours la peau et permet ainsi aux pellicules de s'accumuler. De plus, les glandes productrices d'huile se trouvant dans la peau peuvent être déficientes. Il arrive donc que certains chiens, qui ne sont pas baignés et pas toilettés assez souvent, aient des plaques de peau sèche formées par les pellicules.

Problèmes de thyroïde. Ce n'est pas fréquent, mais il peut se faire que les pellicules indi-

Un brossage quotidien répartit les huiles naturelles dans tout le pelage de ce Berger écossais, et lui permet de rester sain et à l'abri des pellicules.

quent un ralentissement de l'activité de la glande thyroïde qui produit peu d'hormones : il s'agit d'hypothyroïdie. D'autres symptômes de cette déficience sont la prise de poids, l'éclaircissement du pelage et une diminution de l'énergie.

Faire au mieux

Maintenez leur peau humide. La plupart des chiens ont besoin d'un bain mensuel, ou moins fréquent, mais ceux qui souffrent de séborrhée devraient en prendre un par semaine, avec un shampooing antiséborrhée jusqu'à une amélioration de la situation.

Protégez-les en fonction de la saison. Les chiens qui n'ont des pellicules que pendant les mois secs ont plus besoin d'un supplément d'humidité que d'un bain. Le docteur Sakas recommande de les laver avec un shampooing conditionnant, suivi d'une crème de rinçage et d'un spray humidifiant. On peut aussi se munir d'un humidificateur à la maison, puisque l'air se fraye un chemin jusqu'à la peau.

Brossage quotidien. Le brossage a un rôle plus étendu que de lustrer le poil. Il contribue à distribuer les huiles à la surface de la peau, en la maintenant humide et sans pellicules. De plus, les coups de brosse stimulent la sécrétion des glandes productrices d'huile.

Ajoutez du gras dans leur alimentation. « Un peu d'huile ajoutée dans la nourriture de votre chien sera un judicieux complément aux acides gras de son régime de base » dit Ehud Sela, vétérinaire. De bonnes sources d'acides gras sont

SUPPLÉMENTS INUTILES

L'ajout d'acides gras est nécessaire dans un grand nombre de problèmes cutanés, dont la sécheresse de la peau et les pellicules. Mais ces suppléments sont parfois chers, un flacon pouvant coûter jusqu'à 50 francs. Les vétérinaires estiment qu'ils sont inutiles à condition que la nourriture de votre chien soit d'excellente qualité.

« Si vous ajoutez ces suppléments coûteux à une nourriture bon marché, vous aurez autant dépensé que si vous aviez choisi une alimentation haut de gamme » dit William H. Miller J.-R., professeur de dermatologie à l'université, dans l'état de New York.

l'huile de poisson, l'huile de carthame, ou l'huile de cacahuète. Les chiens de moins de 15 kg peuvent prendre une demi-cuiller à café d'huile par jour, mélangée à leurs rations habituelles. Donnez une cuiller à soupe aux grands chiens.

Mais ce complément ne sera pas nécessairement efficace si votre chien n'absorbe pas une alimentation de bonne qualité. La plupart des vétérinaires recommandent d'éviter les nourritures génériques et de s'en tenir aux produits de marque.

 EN BREF « Pour les chiens qui n'ont que peu de pellicules, il suffira souvent de les rincer à l'eau fraîche pour obtenir un bon résultat. Cela aidera à les débarrasser de la couche supérieure formée par des écailles de peau sèche, et diminuera en même temps les risques de démangeaisons » dit Steve Paul, vétérinaire privé.

Diarrhée

Tous les chiens souffrent de diarrhée, de temps à autre, ne serait-ce que parce qu'ils ont un estomac sensible, un penchant pour les ordures, et beaucoup d'ingéniosité pour renverser les poubelles ou bien ouvrir les sacs. « La plupart des cas de diarrhée ne sont que des manifestations de la nature pour éliminer des choses qui ne devraient pas être consommées » dit Bill Martin, vétérinaire.

En général, une diarrhée disparaît au bout d'un jour ou deux. Mais si un chien continue d'avoir des selles liquides, il est peut-être malade, soit pour une raison sous-jacente, soit parce qu'il perd tellement d'eau qu'il se déshydrate. Dans ce cas-là, une consultation vétérinaire s'impose. « Les chiots et les chiens âgés sont plus vulnérables face à la déshydratation » ajoute le docteur Martin.

Les soupçons habituels

Indispositions alimentaires. Les ordures ne sont pas seules responsables des diarrhées. De nombreux chiens réagissent au lait parce qu'ils ne possèdent pas une enzyme appelée lactase, qui digère le sucre (lactose) dans les produits laitiers. Les restes de repas, s'ils sont gras, peuvent aussi provoquer une diarrhée.

Changements de nourriture. « Bien que les chiens aient un appareil digestif particulièrement résistant, ils supportent mal un changement brutal » dit le docteur Martin. Des chiens ayant consommé les mêmes repas pendant des années, et dont on modifiera tout à coup le régime, réagiront souvent par une diarrhée qui durera quelques jours, le temps que leur organisme s'habitue à cette nouveauté.

Vers. Les parasites intestinaux, surtout les vers, sont en général un problème important. Les ascarides, les ankylostomes, les vers solitaires et les tricures peuvent irriter les intestins, provoquant un flot de liquides impossibles à absorber, et qui s'élimineront dans les selles.

Infections. Les infections bactériennes sont des causes fréquentes de diarrhée. Les infections virales, comme la grippe, peuvent aussi déclencher des selles molles.

Allergies à la nourriture. « Les vétérinaires n'ont pas vraiment décelé pourquoi des chiens ayant consommé la même alimentation pendant des années développeront tout à coup une réaction allergique à un ou plus de ses ingrédients de base. De plus, les fabricants de nourriture animale changent périodiquement leurs recettes, d'où des risques d'allergies à l'une de ces nouveautés » dit Anna Scholey, vétérinaire. « La plupart des chiens allergiques ont des symptômes épidermiques, mais certains ont des ennuis intestinaux » ajoute le docteur Scholey.

Ils mangent trop. « En général ce n'est pas un problème chez les chiens adultes, mais un jeune chien qui mange trop – ce qui malheureusement, correspond aux recommandations des fabricants – risque de souffrir de diarrhée par surcharge de son appareil digestif » dit Bernadine Cruz, vétérinaire. « En général, je recommande de nourrir les chiots au moins trois fois par jour, pendant les quatre ou cinq premiers mois » dit-elle. « Leurs réservoirs sont petits, il faut les remplir de manière très régulière. »

Les os. Les chiens adorent les os. Mais cela n'est pas toujours payé de retour. Les petits chiens, en réduisant des os en miettes, risquent d'irriter leurs intestins, et par suite les voies d'élimination.

Faire au mieux

Aidez-les à se remettre. La diarrhée n'a lieu que quand les intestins n'acceptent pas la nourriture ingérée. Pour réduire le stress et faciliter une reprise normale de leurs fonctions, le docteur Miller conseille de faire jeûner les chiens 24 heures, et les chiots seulement 8 heures.

S'abstenir de manger pendant une journée ne pose pas de problème, mais les chiens ont cependant besoin d'eau, surtout s'ils ont la diarrhée qui peut entraîner la perte de beaucoup de liquides, et ceci en très peu de temps. Le docteur Miller recommande de donner aux chiens souffrant de cet état une boisson utilisée par les sportifs, la Gatorade. Les chiens en apprécient le goût et en général ils en boiront plus abondamment que de l'eau. De plus, ces boissons pour sportifs contiennent des sels minéraux de base, appelés électrolytes, et qui remplaceront ce que la diarrhée aura emporté.

Donnez-leur des nourritures douces. Quelle que soit la cause de la diarrhée, l'appareil digestif a de toute façon besoin de se reposer. « Jusqu'à ce que les selles soient redevenues fermes, les vétérinaires recommandent de donner des aliments faciles à digérer, comme de la viande de bœuf hachée et

GUÉRISON NATURELLE

Avant que n'existe une grande variété de tests et de médicaments sophistiqués, les vétérinaires utilisaient une véritable panoplie de remèdes naturels pour enrayer la diarrhée.

Bernadine Cruz, vétérinaire en Californie, dit que rien n'est plus efficace que la poudre de caroube sans sucre. Elle recommande de mélanger des quantités égales de poudre de caroube et d'eau, et de donner aux chiens entre une demi-cuiller à café et deux cuillers à café, deux à quatre fois par jour pendant trois jours.

L'ail pilé est utilisé depuis des siècles, aussi bien pour enrayer des infections que pour éliminer les parasites, et il semble être aussi efficace contre la diarrhée. Le docteur Cruz conseille d'administrer entre un quart de cuiller à café et une demi-cuiller à café de une à trois fois par jour, pendant trois jours.

Poudre de caroube sans sucre et eau

Ail

Écorce d'orme en gélules

maigre, mélangée pour moitié avec du riz à l'eau » dit le docteur Martin. Il conseille de faire bouillir la viande hachée dans un peu d'eau et d'enlever la pellicule de gras une fois qu'elle sera refroidie et solidifiée. Offrez à votre chien deux ou trois portions de ce mélange par jour, et cela pendant trois ou quatre jours, jusqu'à ce que les selles aient une consistance normale. Ensuite vous pourrez revenir doucement à son alimentation habituelle, augmentée de ce mélange de bœuf et de riz.

Attention aux vers. Tandis que la diarrhée est en général provoquée par un élément se trouvant dans l'alimentation, et donc sans risques, une diarrhée persistante ou répétitive est souvent occasionnée par des vers. Vous constaterez la présence de vers (ou de fragments) dans les selles, ou dans les poils autour de l'anus. Ou bien votre vétérinaire les détectera en examinant un échantillon de selles. Il est facile de se débarrasser de la plupart des vers, en se procurant un médicament avec ou sans ordonnance.

« La difficulté, si vous décidez de traiter les vers vous-mêmes, c'est que les médicaments sans ordonnance ne s'appliquent pas à toutes les catégories de parasites. Si vous ne choisissez pas le bon, ce sera inefficace » dit le docteur Cruz.

Aidez les intestins. L'appareil digestif est rempli d'organismes utiles, qui favorisent la digestion. Cependant, les chiens qui ont une infection, ou prennent des antibiotiques pour une autre raison, souffriront d'une diminution de l'efficacité de ces protections, ce qui peut déclencher une diarrhée.

Une manière rapide de remplacer les bactéries efficaces, c'est de donner aux chiens du yaourt biologique, dit le docteur Scholey. Vous pouvez en mettre une cuillerée à café tous les jours dans sa nourriture. Ou bien vous lui donnerez des capsules d'Acidophilus : une capsule par jour pour les petits

chiens, deux pour ceux de taille moyenne, et trois pour les grandes races.

Soyez fidèle à la même alimentation. « En général, les chiens se contentent fort bien de consommer tous les jours la même chose, et leur appareil digestif se porte d'autant mieux que les changements sont rares » dit le docteur Cruz. « Si vous optez pour une modification, il convient d'introduire cette nouveauté en douceur, et de mélanger la nouvelle alimentation avec l'ancienne pendant quelques jours ou une semaine. Quotidiennement, augmentez la quantité du nouveau produit. Ceci permet un ajustement progressif de l'intestin » explique-t-elle.

Limitez la quantité de graisses. Bien que les chiens n'aient pas à se soucier de cholestérol ou d'artères encombrées à la manière des humains, une quantité abusive de gras dans les aliments pose problème. Contrairement aux protéines et aux glucides, les graisses sont difficiles à digérer. « En donnant plus de graisse à un chien qu'il n'en consomme d'habitude, vous risquez de déséquilibrer le délicat fonctionnement de son intestin, et de provoquer une diarrhée » dit le docteur Scholey.

« Ce problème de graisses n'existe que si les propriétaires accordent trop de petits suppléments à leurs chiens, comme des restes de bœuf ou de poulet » ajoute-t-elle.

 EN BREF « Les médicaments délivrés sans ordonnance, comme les sels de bismuth ou la gélopectose, réussissent à enrayer rapidement la diarrhée, mais ils risquent aussi de ralentir le temps que mettra le corps pour éliminer la cause de cette affection » dit le docteur Miller. Elle vous recommande de consulter votre vétérinaire avant d'utiliser l'un ou l'autre de ces médicaments à la maison.

Il boit plus que d'habitude

Outre le fait d'apaiser la soif, l'eau régule la température du corps, favorise la digestion, et lubrifie les tissus. Il est presque impossible de se laisser aller à en boire trop. Mais cette nécessité parle aussi d'autre chose. Les chiens qui, tout à coup, réclament une grande quantité d'eau, état qui porte le nom de polydipsie, le font pour une raison bien précise. Les vétérinaires ont identifié plus de 60 conditions, dont certaines potentiellement sérieuses, qui poussent les chiens à cette extrémité.

Les soupçons habituels

Maladie rénale. « Quand les reins ne peuvent pas réguler la quantité d'eau nécessaire, les chiens ne retiennent plus les liquides ; ils boivent sans cesse et urinent proportionnellement » dit Craig N. Carter, chef d'un service d'épidémiologie.

Diabètes. Les diabètes se manifestent quand le pancréas ne produit pas assez d'insuline ou que celle-ci ne fonctionne pas comme elle le devrait. Faute d'insuline efficace, les niveaux de sucre s'élèvent dans la circulation sanguine, et les chiens boiront beaucoup d'eau pour essayer de compenser ce défaut d'équilibre.

Temps chaud. Les chiens qui passent beaucoup de temps dehors, et sous un climat chaud, risquent de se déshydrater rapidement ; ils consommeront alors de grandes quantités d'eau pour maintenir égale la température de leur corps.

CONTRÔLE DU DEGRÉ D'HYDRATATION

On serait tenté de croire que les chiens qui boivent beaucoup d'eau en sont imbibés, mais c'est le contraire qui est vrai : ils se déshydratent souvent parce qu'un problème médical sous-jacent absorbe l'eau de leur corps, malgré tous leurs efforts.

Pour contrôler le degré d'hydratation, soulevez la peau sur le dos du chien, à la base du cou. Relâchez-la et observez à quelle vitesse elle se remet en place – elle devrait être ferme et tonique au bout de quelques secondes. « Quand les chiens sont déshydratés, la peau retombe lentement ou pas du tout. Ce qui signifie que leur corps a un taux aqueux très bas ; il faut alors les faire immédiatement examiner par un vétérinaire » dit Craig N. Carter.

Stress. Les vétérinaires ne sont pas très sûrs des causes, mais les chiens malheureux ou anxieux ont tendance à boire. Peut-être que cet acte les distrait par rapport à leur situation et les calme un peu. « Et plus vous en faites pour eux, plus ils boiront » ajoute Karen Overall, vétérinaire spécialiste du comportement animal. « Ils aiment qu'on s'occupe d'eux » explique-t-elle.

Problèmes hormonaux. Les hormones sont responsables du maintien de l'équilibre normal du corps, en ce qui concerne les sécrétions et les substances chimiques et nutritives ; cette condition s'appelle l'homéostasie. Quand les hormones sont perturbées par des états comme la maladie de Cushing ou l'hyperthyroïdie, les chiens peuvent très bien boire d'énormes quantités d'eau – jusqu'à 3 à 4 litres par jour dans certains cas – pour compenser.

Faire au mieux

Contrôle de la quantité d'eau. Puisque les chiens ne boivent pas dans des petits verres bien propres, il est presque impossible de dire s'ils ont bu plus que de coutume ou de manière excessive. « Mesurez la quantité d'eau pendant quelques jours » suggère Dean Gebroe, vétérinaire privé. Utilisez un verre gradué pour remplir son bol. Au bout de 24 heures évaluez ce qui reste. « Appelez votre vétérinaire et demandez-lui si c'est trop » dit le docteur Gebroe.

Envisagez un changement de régime. Les vétérinaires ont découvert que quelques simples changements dans l'alimentation aideront les chiens souffrant de diabète. Le plus facile, c'est de leur donner plusieurs petits repas par jour au lieu d'un seul très important. Cette solution permet aux sucres de pénétrer progressivement dans la circulation sanguine, plutôt que tout d'un coup, et d'éviter les « pointes ». Il est aussi parfois utile de les faire maigrir. En fait, les chiens diabétiques qui perdent du poids – et n'en reprennent pas – ont en général moins besoin d'insuline. Il arrive aussi qu'ils puissent s'en passer complètement. « Les diabètes sont difficiles à gérer ; alors ne vous engagez pas dans des modifications de l'alimentation ou la prise de médicaments sans avoir consulté votre vétérinaire » dit le docteur Carter.

 EN BREF Il est souhaitable que les chiens boivent beaucoup par temps chaud – à moins que vous n'ayez oublié de remplir un bol en partant travailler le matin. « Si votre chien passe de longues heures dehors, vous pouvez très bien vous procurer un petit bassin » dit Anna Scholey, vétérinaire qui a une clientèle privée à Dallas. De la sorte, votre compagnon pourra boire à volonté, et beaucoup de chiens sont ravis de pouvoir aller s'y rafraîchir à l'occasion.

Un bassin pour enfants, rempli d'eau, devient un gigantesque bol ainsi qu'une source de divertissement par temps chaud.

Il bave

On consulte bien souvent les vétérinaires pour des problèmes de bave, et leur avis est en général très simple : il faut vivre avec. Presque tous les chiens bavent, quand ils sont excités ou attendent leur petit-déjeuner ; et certains bavent presque sans arrêt. Mis à part un bandeau placé autour de leur cou pour éponger l'humidité, il n'y a pas grand-chose à faire.

La situation est plus complexe si votre chien a changé ses habitudes dans ce domaine. « Les chiens qui se mettent soudain à baver plus que de coutume ont certainement un problème » dit Karen Zagorsky, vétérinaire.

Les soupçons habituels

Ballonnement. C'est un état dangereux, qui se rencontre souvent chez les chiens qui ont un poitrail large et profond, et dont l'estomac se remplit tout à coup d'air, et gonfle, en appuyant parfois sur des vaisseaux sanguins de l'abdomen.

Il faut penser à cette situation si votre chien bave après avoir mangé, et si son ventre est gros et anormalement tendu. Les chiens ainsi atteints risquent de mourir en quelques heures ; il faut donc immédiatement consulter un vétérinaire. Les soins à domicile sont inenvisageables, mais on peut éviter ce genre de risques en leur offrant plusieurs petits repas quotidiens plutôt qu'une portion unique et abondante. Il est aussi souhaitable de ne pas leur donner à manger ou à boire pendant l'heure qui suit un exercice vigoureux.

Corps étrangers dans la gueule. Ce n'est pas une coïncidence si les humains se mettent à saliver dès que le dentiste se met au travail. Tout ce qui pénètre dans la bouche, depuis un morceau de fruit jusqu'à un crayon, active les glandes salivaires. « Chez le chien, elles fonctionnent quand n'importe quel objet – souvent un bâton ou un os – reste coincé dans sa gueule » dit John Daugherty, vétérinaire.

Problèmes dentaires. « Les chiens ont rarement des caries, mais 80 % d'entre eux souffrent d'une maladie périodontale, c'est-à-dire que des bactéries se trouvant dans la gueule provoquent de l'irritation ou de l'infection des gencives, ce qui peut entraîner la production de bave » dit Kenneth Lyon, vétérinaire spécialisé dans la dentisterie, ayant une clientèle privée à Mesa, en Arizona. « D'autres symptômes de cette affection sont une mauvaise haleine et, dans certains cas, une répugnance à mâcher » dit le docteur Lyon. Les chiens qui ont une dent cassée bavent aussi parfois abondamment.

Nausée. Bien souvent les chiens bavent parce qu'ils ont mal au cœur. Après une promenade en voiture, il vous arrivera peut-être de découvrir des taches humides sur les sièges. Dans ce cas-là, les chiens sont agités et halètent aussi beaucoup.

Empoisonnement. Les chiens sont attirés par toutes sortes de choses, dont les produits domestiques toxiques, comme l'antigel et certains liquides

Un torchon de cuisine joue parfaitement le rôle de serviette de table pour les chiens qui ont tendance à baver.

AU SECOURS !

« Maintenant que les vaccinations antirabiques sont généralisées, cette terrible maladie atteint rarement les chiens. Quand c'est le cas, ils bavent abondamment et c'est le premier signe » dit le docteur Kenneth Lyon, vétérinaire spécialisé dans la dentisterie. La rage se transmet essentiellement par les renards, ce pourquoi les chiens qui passent beaucoup de temps dehors sont plus susceptibles d'être infectés que les chiens d'appartement. La rage est toujours une urgence – pas seulement pour le chien qui l'a, mais aussi pour les gens et les autres animaux qui seront en contact avec lui. Il est capital d'appeler votre vétérinaire si vous soupçonnez votre chien d'avoir la rage.

décapants. Une bave abondante peut être le premier signe de la maladie. D'autres symptômes sont les vomissements, la perte d'équilibre, et des difficultés respiratoires. Les traitements antipoison sont en général très efficaces, mais à condition de demander immédiatement de l'aide.

Faire au mieux

Observez attentivement. Il est en général facile de s'apercevoir si des objets sont restés coincés dans la gueule d'un chien, surtout si vous regardez à l'intérieur avec une lampe électrique. Les points sur lesquels il faut se concentrer sont : entre les dents, le long du bord de la gencive, sous la langue, et dans le palais. Si votre chien le veut bien, vous pourrez ôter les petits objets avec vos doigts ou une pince à épiler. Comme il est difficile de maintenir sa

gueule ouverte, une balle de tennis qu'il gardera pendant le temps de l'intervention vous aidera.

Mais votre chien n'acceptera peut-être pas de rester calme pour vous permettre de mener à bien cette entreprise. Auquel cas, appelez votre vétérinaire.

Ayez une serviette à portée de main. La plupart du temps, la bave est naturelle. « Il faut vous y habituer, et garder une serviette à portée de main » dit Lillian Roberts, vétérinaire.

 EN BREF Certains chiens ont mal au cœur en voiture. Il est difficile d'arrêter la nausée une fois qu'elle a commencé, mais vous pouvez prévenir le mal en donnant à votre chien du diménhydrinate (Dramamine) environ une heure avant le voyage – 12,5 milligrammes pour les petits chiens, et de 25 à 50 milligrammes pour les chiens moyens et de grande taille. La Dramamine est sans risque pour la majorité d'entre eux, mais elle ne convient pas à ceux qui souffrent d'un glaucome ou qui ont des problèmes de vessie. Demandez l'avis de votre vétérinaire.

PARTICULARITÉ DE LA RACE

Les chiens qui ont de grosses lèvres épaisses, comme les Saint-Bernard et les Bassets hounds, bavent en général beaucoup parce que leur gueule est conçue de telle manière que la salive y reste. « Ce n'est pas qu'ils produisent plus de salive que d'autres, mais ils rejettent la même quantité d'eau qu'ils ont avalée – et c'est beaucoup » dit Lowell Ackerman, vétérinaire et dermatologue.

Il a les oreilles qui coulent

Les oreilles des chiens ont été prévues dans un but de protection. Elles n'offrent donc pas un canal droit et horizontal conduisant au tympan, mais les canaux auriculaires se courbent en forme de L. Cette configuration évite au tympan d'être endommagé par des corps étrangers, et c'est en même temps une poche idéale pouvant accueillir le cérumen, les champignons et les débris, aussi bien que des bactéries et autres organismes provoquant des infections.

Les soupçons habituels

De l'eau dans les oreilles. « Les bactéries et les levures prolifèrent grâce à l'humidité, et les oreilles humides des chiens leur conviennent parfaitement. Ceux qui ont un écoulement brun, vert ou blanc, éventuellement mélangé à un peu

Un risque inattendu

Étant donné que les infections des oreilles sont souvent douloureuses, les vétérinaires recommandent de les soigner aux antibiotiques. Mais dans certains cas ce traitement provoque des écoulements. « Si votre chien, à qui vous avez fait suivre ce traitement, a les oreilles qui coulent, il est peut-être allergique aux antibiotiques » dit Jay W. Geasling, vétérinaire. Cette situation provient en général d'une pommade contenant un antibiotique, la néomycine.

de sang, ont certainement une infection et devront sans doute prendre des antibiotiques pour s'en débarrasser » dit Bernadine Cruz, vétérinaire.

Allergies. Certains chiens souffrent d'écoulements des oreilles uniquement au printemps et en été. Ce sont des périodes où ils aiment nager, mais aussi propices aux allergies. « Les chiens souffrant de rhume des foins ont parfois des oreilles encombrées, qui les démangent, et qui risquent ensuite de montrer une inflammation et un suintement » dit le docteur Cruz.

Corps étrangers. Tout ce qui irrite les oreilles peut produire un écoulement. Les chiens qui passent beaucoup de

Les chiens allant dans l'eau ont souvent des infections des oreilles. Le fait de secouer la tête leur procure un soulagement passager.

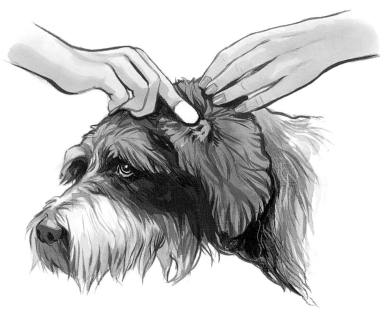

On peut éviter les infections en lavant périodiquement le canal auriculaire, et en le séchant doucement avec un morceau de gaze enroulé autour du doigt.

cette solution dans le canal auriculaire avec une seringue graduée. L'alcool tuera les bactéries, et le vinaigre modifiera le pH dans les oreilles, créant ainsi un environnement moins favorable aux infections. « Si un chien souffre de douleurs ou de coupures dans les oreilles, limitez-vous au vinaigre et à l'eau » conseille-t-il. « L'alcool risque de lui brûler l'oreille, en cas de blessures ouvertes, et s'il souffre trop il n'acceptera plus qu'on lui touche les oreilles ». Quand vous aurez terminé, essuyez ses oreilles avec un morceau de gaze. « Les propriétaires dont les chiens passent beaucoup de temps dans l'eau leur nettoient souvent régulièrement les oreilles pour enrayer un début d'infection » dit le

temps à l'extérieur se retrouvent parfois avec des brindilles, des teignes ou même de petits cailloux dans les canaux auriculaires. Mais ce qu'il y a de plus grave, c'est le vulpin. Pourvue de petites barbes, cette herbe, si elle pénètre dans la peau tendre de l'oreille du chien, provoque des écoulements accompagnés de douleurs et d'infection.

Faire au mieux

Éliminez l'humidité. Que votre chien se soit baigné ou pas, l'intérieur de ses oreilles est quand même humide. Si vous les essuyez doucement, elles accepteront moins volontiers des organismes provoquant des écoulements. Bill Martin, vétérinaire, recommande de mélanger, à parts égales, du vinaigre, de l'alcool à 90° et de l'eau, et de diffuser

PARTICULARITÉ DE LA RACE

Les chiens qui ont de grandes et lourdes oreilles, comme les Bassets hounds ou les Limiers, sont susceptibles d'infections parce que leurs oreilles ne sont pas bien ventilées. Les Cockers spaniels, les Caniches et les Schnauzers risquent encore plus de souffrir d'infections à cause de leur riche pelage. Tous les chiens d'eau, comme les Labradors retrievers et les Setters irlandais (à droite) sont fragiles des oreilles.

docteur Martin. Mais quand un chien a une infection, il ne vous reste que quelques jours pour appeler votre vétérinaire.

Évitez la pénétration de l'eau. « Plutôt que de risquer des infections – et de devoir les combattre – mieux vaut les prévenir » recommande le docteur Cruz, « en mettant des boules de coton dans les oreilles de votre chien avant qu'il n'aille nager ou que vous lui donniez un bain ».

Soignez les allergies. Les pollens sont inévitables, mais les chiens souffrant de rhume des foins ont cependant des symptômes moins flagrants quand on les protège. Mieux vaut les promener dans des parcs arborés, en ville, plutôt qu'à la campagne, bien que ce soit loin d'être une solution idéale. On peut aussi essayer de ne pas sortir son chien très tôt le matin et tard le soir, ce qui correspond à des pics de diffusion du pollen ; grâce à quoi les problèmes d'oreilles ont une chance de très bien se régler en l'espace de quelques jours.

Les chiens qui ont des allergies alimentaires ont aussi parfois des problèmes d'oreilles. Si les écoulements ont lieu en hiver aussi bien qu'au printemps et en été, demandez à votre vétérinaire de faire des tests par rapport à des allergies.

Épilation. Certains chiens ont beaucoup de poils dans les oreilles et ils fixent le cérumen, les poussières et les moisissures. Le docteur Martin recommande de retirer les touffes de poils des canaux auriculaires avec une pince à épiler. Cette intervention n'est vraiment pas agréable pour le chien, donc mieux vaut prélever une petite quantité de poils à la fois, et échelonner l'opération sur plusieurs

jours. « N'employez surtout pas de crèmes dépilatoires ; les tissus de l'oreille sont beaucoup trop sensibles pour résister à cet assaut chimique » ajoute-t-il.

EN BREF Les infections provoquant des écoulements sont souvent douloureuses, et certains chiens passeront des heures à se gratter les oreilles et à secouer leur tête pour essayer de diminuer la douleur. « Vous pouvez les aider à adoucir leurs maux en appliquant quelques gouttes de campho-phényl » dit le docteur Cruz. « Il agit comme un anesthésique local et soulagera temporairement votre chien, en attendant que vous l'emmeniez chez le vétérinaire » ajoute-t-elle.

Avant un bain, mettez du coton dans les oreilles, pour éviter que l'humidité ne pénètre dans le canal auriculaire.

Opacification des yeux

Mis à part la couleur de leur pelage, la plupart des chiens ont des yeux foncés. Les yeux sont recouverts d'une couche de cellules que l'on appelle la cornée, et qui permet à la lumière d'accéder jusqu'au cristallin. Normalement, la cornée et le cristallin sont transparents. Mais si certaines conditions sont réunies, elles peuvent provoquer une apparence grise, bleuâtre ou vitreuse de ces régions composées de couches complexes de cellules.

PARTICULARITÉ DE LA RACE

Les Chihuahuas ont des yeux proéminents qui sont très exposés aux éléments, et qui risquent donc d'être trop secs. Les Pékinois sont prédisposés aux infections oculaires, et les caniches à la cataracte et au glaucome.

Les soupçons habituels

Sécheresse des yeux. La couleur des yeux dépend de la quantité de larmes qu'ils produisent. Avec le temps, il est normal que les yeux soient moins bien irrigués. Quand la production de larmes diminue, il arrive que la cornée, qui forme la surface de l'œil, bleuisse.

Glaucome. « C'est un état grave, dans lequel du liquide s'accumule à l'intérieur de l'œil, et augmente la tension du globe oculaire, diminuant du même coup le degré de vision qu'a le chien » dit Christopher J. Murphy, professeur de faculté en ophtal-

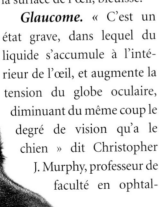

Les chiens atteints de cataracte ont les yeux légèrement bleuâtres et embués.

mologie. Le glaucome peut surgir spontanément ou être consécutif à une blessure à l'œil. Le diagnostic indique une teinte bleue à la surface de l'œil, et qui obscurcit la pupille qui se trouve derrière.

Cataracte. Avec l'âge, le cristallin commence à durcir et empêche donc tant soit peu le passage de la lumière. Cette affection, que l'on appelle la cataracte, provoque un nuage sur les yeux, d'un ton gris, bleu, bleuâtre et légèrement blanc.

« Les animaux domestiques souffrant de diabètes sont particulièrement prédisposés à la cataracte » ajoute le docteur Murphy.

Sclérose des cellules. Il s'agit d'une pathologie qui accompagne souvent la vieillesse. Les yeux ont une grande capacité pour créer de nouvelles cellules, mais peu d'efficacité pour se débarrasser des anciennes. Et quand les vieilles cellules s'accumulent dans le cristallin, celui-ci gagne en densité. Cette sclérose n'affecte pas beaucoup la vision, mais elle donne à la pupille une teinte légèrement bleutée.

Lésion de la cornée. « Si un œil est devenu un peu bleu, et que votre chien louche, ou si ses yeux sont injectés de sang, il souffre sans doute d'une lésion de la cornée » dit Nancy Willerton, vétérinaire.

Faire au mieux

Humidifiez leurs yeux. Les chiens qui ont des yeux secs ont besoin du même traitement que les humains : quelques gouttes de larmes artificielles que l'on trouve en pharmacie, une ou deux fois par jour. Ces soins résolvent en général le problème, mais si les symptômes sont très sérieux, une intervention chirurgicale peut s'imposer pour rééquilibrer la quantité normale de larmes.

Protégez-le du soleil. « Les yeux sont étonnamment résistants malgré leur constitution délicate. Les lésions de la cornée se cicatrisent en général très bien d'elles-mêmes » dit le docteur Willerton. Mais l'œil reste douloureux et sensible à la lumière ; vous pouvez donc vous procurer une visière qui protégera votre compagnon du soleil.

« Si l'état ne s'améliore pas dans les deux jours, consultez votre vétérinaire » ajoute le docteur Willerton.

Facilitez-lui la vie. Bien que la plupart des changements dans la couleur des yeux ne provoquent pas la cécité, ils peuvent quand même affecter le degré de vision des chiens. « Les chiens qui voient mal savent comment votre intérieur est aménagé ; il vaut donc mieux ne pas changer trop souvent les meubles de place » dit le docteur Willerton. Elle recommande aussi de ne pas laisser des objets traîner sur le sol. Vous contournerez facilement une pile de livres, mais un chien qui n'y voit pas très clair s'y heurtera. Les escaliers sont aussi un danger ; mieux

AU SECOURS !

Tandis que les chiens dont les yeux sont devenus bleutés ne souffrent que d'une légère perte de vision, ceux dont les yeux ont gagné en opacité doivent subir immédiatement un examen vétérinaire. Le glaucome rend souvent les yeux embués ; il peut provoquer très vite la cécité s'il n'est pas traité rapidement. Les infections oculaires risquent de rendre le regard trouble, et de générer aussi des problèmes internes, comme une tension trop forte et le cancer.

« L'opacité des yeux doit toujours être considérée comme une situation d'urgence, requérant les soins d'un vétérinaire, » dit Christopher J. Murphy, professeur de d'ophtalmologie.

Une visière n'est pas qu'amusante, c'est aussi une excellente manière de protéger les yeux d'un chien de la violence du soleil.

vaut les bloquer avec une barrière. Veillez quand même à ce qu'elle soit suffisamment haute pour que votre chien ne risque pas de sauter par-dessus.

Demandez un check-up et détendez-vous. Tout changement dans la couleur des yeux doit être examiné par un vétérinaire, mais la plupart du temps il n'y a pas grand-chose à faire ; cela tient au vieillissement. Cependant, les autres sens des chiens sont tellement développés qu'ils ne souffrent pas de ne pas avoir une vision à 100 %. « En fait, les chiens ont la cataracte, ou d'autres problèmes de vision mineurs, bien des années avant qu'on ne s'en aperçoive » dit le docteur Willerton.

Il a les yeux qui pleurent

Les yeux des chiens sont baignés par les larmes qui les nettoient et rendent leur surface bien lisse. Il est normal qu'elles provoquent des dépôts humides et collants. Ce sont les traces que l'on aperçoit dans le coin des yeux.

Bien qu'une certaine quantité de larmes soit normale, les vétérinaires s'inquiètent si un chien en produit beaucoup trop, ou s'il y a des écoulements épais ou verdâtres. La plupart des problèmes oculaires sont bénins et guériront d'eux-mêmes, mais en attendant ils peuvent être extrêmement gênants. L'ennui, c'est que certaines blessures ou infections oculaires risquent d'entraîner des troubles permanents si elles ne sont pas traitées immédiatement. « Un écoulement d'un seul œil est en général moins dangereux que s'il atteint les deux » dit le docteur Christine Wilford. « Mettez toutes les chances de votre côté, et appelez votre vétérinaire si rien n'a changé au bout d'un ou deux jours » conseille-t-elle. Si le problème n'est pas grave, il vous suggérera sans doute d'irriguer les yeux plusieurs fois quotidiennement avec du sérum physiologique, pour aider la cicatrisation ou atténuer une petite irritation.

Les soupçons habituels

Atteinte de la cornée. La surface transparente du globe oculaire, qu'on appelle la cornée, peut être facilement égratignée par exemple par une branche d'arbre très basse, de la poussière, ou même de petites graines provenant des herbes. En général, ces écorchures bénignes se cicatrisent assez vite, mais au prix d'écoule-ments lacrymaux abondants. Cela peut aussi être le cas si des débris restent collés derrière la troisième paupière, cette fine membrane qui est attachée à l'intérieur des coins des yeux du chien.

« Tandis que certaines blessures ou infections disparaissent spontanément et rapidement, une inflammation de la cornée, qui porte le nom de kératite, peut entraîner la cécité faute de traitement » dit le docteur Wilford. « Les chiens atteints de kératite ont des écoulements ainsi qu'un jaunissement de la partie claire de l'œil. De plus ils louchent » dit le docteur Wilford.

Conjonctivite aiguë et contagieuse. Les surfaces internes des paupières sont recouvertes d'une membrane extrêmement fine, appelée la conjonctive. Tout ce qui l'irrite, comme les allergies ou les infections, rend les yeux rouges et douloureux ; il s'agit alors de conjonctivite, ou rougeur des yeux.

« Beaucoup de chiens souffrent d'allergies bénignes pendant la saison des pollens » dit Bonnie Wilcox, vétérinaire. « Ils sont souvent allergiques exactement aux mêmes éléments que les humains,

PARTICULARITÉ DE LA RACE

Les Carlins, les Bulldogs (ci-dessous), et les Pékinois sont plus fragiles des yeux que la plupart des autres races, parce que les poils de leur tête, au lieu de pousser vers l'extérieur des yeux, ont tendance à pousser vers l'intérieur.

comme les pollens d'arbres ou d'herbes. Ils ont alors les yeux rouges et larmoyants et des démangeaisons qui signifient quils souffrent d'allergie, dit-elle. La conjonctivite peut provenir d'infections bactériennes ou virales ; dans ce cas elle est extrêmement contagieuse et risque de se transmettre d'un chien à l'autre. »

Sécheresse des yeux. « La plupart des chiens produisent toutes les larmes dont ils ont besoin, mais avec l'âge certains ont une certaine sécheresse des yeux, ou kératoconjonctivite sèche, qui empêche la sécrétion des larmes. Leurs yeux sont donc secs, irrités » d'où un écoulement épais et collant, dit le docteur Wilcox.

Entropion. Il arrive que des chiens naissent avec une curieuse particularité appelée entropion. Dans ce cas, les paupières ne sont pas aussi proches du globe oculaire qu'elles devraient l'être. Par conséquent, elles peuvent se retourner vers l'intérieur ou se renverser en dedans. « Si cela arrive, les cils brosseront la surface du globe oculaire, provoquant une irritation et un écoulement » dit le docteur Wilcox. Une intervention chirurgicale est la seule manière de remédier définitivement à cette situation, mais il faut que le chien ait atteint l'âge adulte. Votre vétérinaire prescrira peut-être des gouttes pour les yeux en attendant le moment opportun.

Faire au mieux

Bain d'œil. « Quelle que soit la cause d'un écoulement des yeux, des bains d'œil avec du sérum physiologique sans agent de conservation ou une solution pour lentilles de contact soulagera rapidement votre chien de son irritation et aidera à éliminer les particules provoquant des déman-

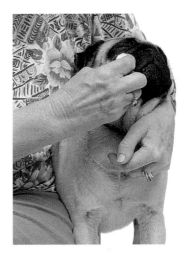

Pour enrayer les écoulements qui irritent les yeux de ce Carlin, son propriétaire les essuie avec un chiffon doux et humide.

geaisons » dit le docteur Wilford. « Mettez une goutte ou deux de cette solution dans chaque œil. Quand le chien clignera des paupières, le médicament se répandra sur toute la surface du globe oculaire, explique-t-elle. Vous pouvez répéter l'opération plusieurs fois par jour. »

Pour les chiens souffrant de cas bénins de conjonctivite, à défaut de sérum physiologique on peut employer une solution d'acide borique diluée, spécialement préparée pour un usage ophtalmologique, et disponible en pharmacie ; elle nettoiera les yeux et agira comme un antiseptique léger.

Nettoyez les écoulements. « Mieux vaut ne pas laisser des écoulements s'accumuler, parce qu'ils irritent les tissus très tendres entourant les yeux. On peut facilement les éliminer en les épongeant tous les jours avec un chiffon humide ou de la ouate » dit le docteur Wilford. N'utilisez pas de savon parce qu'il pique.

Enrayez les démangeaisons et les grattements. Les chiens font ce qu'ils peuvent contre l'irritation de leurs yeux. En général, ils se donnent des coups de pattes et se frottent sur le tapis et les

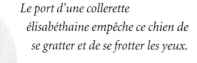

Le port d'une collerette élisabéthaine empêche ce chien de se gratter et de se frotter les yeux.

meubles. « Cette manière de faire les soulage temporairement, mais aggrave le problème de base » dit le docteur Wilford. La plupart des vétérinaires recommandent de faire porter au chien une collerette, sorte de capuchon de forme conique, qui protégera les yeux.

Gardez-les au calme. Les irritations oculaires prennent souvent un certain temps pour s'atténuer, parce que les yeux sont ouverts aux éléments. « Les chiens qui vivent beaucoup dehors reçoivent la lumière du soleil, le vent et des poussières dans les yeux, ce qui dessèche et irrite leurs tissus conjonctifs » dit le docteur Wilford. Elle recommande d'éviter les exercices violents jusqu'à la disparition des écoulements, et la guérison.

Irriguez leurs yeux. Des yeux secs nécessitent un traitement sur ordonnance. Votre vétérinaire vous recommandera sans doute aussi des larmes artificielles, que l'on trouve en pharmacie. Vous en mettrez plusieurs fois par jour dans les yeux trop secs.

N'effacez pas les preuves. Puisque les yeux sont très délicats, n'hésitez pas à consulter votre vétérinaire si les écoulements persistent au

bout de quelques jours. « Ne lavez pas les yeux de votre chien avant la consultation » dit le docteur Wilford. « Votre vétérinaire aura besoin d'examiner les écoulements pour déterminer la cause du problème et choisir le meilleur traitement. »

 EN BREF Un tout petit écoulement oculaire risque d'être problématique chez les chiens qui ont beaucoup de poils autour des yeux. Ils retiennent les sécrétions oculaires, qui attirent la poussière et les débris, en formant des accumulations susceptibles de provoquer de l'irritation et de l'infection. « Il faut que les poils restent propres, soient peignés, et éventuellement coupés court avec des ciseaux à bout rond. Ainsi les larmes s'écouleront plus facilement » dit le docteur Wilcox.

LARMOIEMENT

Les chiens versent toujours des larmes, mais on ne s'en aperçoit pas à cause de la couleur sombre de leur pelage. Les chiens blancs ont parfois des « traces » de larmes – sorte de traînées qui se forment sous les yeux quand les pigments des larmes, les porphyrines, s'oxydent et se dessèchent en formant ces traces rougeâtres ou brunâtres. Cette manifestation est sans danger, mais difficile à nettoyer, ne serait-ce que parce qu'il n'est pas pratique de laver le pourtour des yeux. On conseille de couper court les poils avoisinant les yeux, et de les essuyer une fois par jour pour éviter une accumulation, dit le docteur Wilford. De plus, vous pouvez vous procurer une solution dans les boutiques spécialisées, qui aidera à éliminer les taches sans risques pour les yeux.

Il a les yeux rouges

Le blanc des yeux est sillonné de minuscules vaisseaux sanguins. Les yeux rouges et injectés de sang indiquent que ces vaisseaux ont été endommagés ; c'est la raison pour laquelle ils ont gonflé. Cette situation est rarement grave, mais des problèmes ou des blessures internes peuvent être la cause de cette rougeur. « Si elle n'a pas disparu dans les deux jours qui suivent, n'hésitez pas à appeler votre vétérinaire » dit Anna Scholey, vétérinaire. On peut diagnostiquer immédiatement si cette rougeur est due à des blessures ou des maladies. Les problèmes internes la provoquent en général dans les deux yeux, tandis que les blessures affectent plutôt un œil ou l'autre.

Les soupçons habituels

Dépôts sous la paupière. « Les chiens possèdent une structure particulière, appelée la troisième paupière, destinée à protéger leurs yeux. Il arrive que cette paupière « supplémentaire » retienne des graines minuscules, ou d'autres débris dans sa surface » dit Paul M. Gigliotti, vétérinaire. « Un corps étranger dans l'œil est la cause la plus fréquente des yeux rouges » explique-t-il.

Allergies. Les chiens souffrant du rhume des foins ont les yeux rouges quand le taux des pollens est élevé. Par temps plus frais, la poussière et les spores de moisissures peuvent provoquer des allergies et les yeux rouges chez les chiens fragiles.

Virée en voiture. L'idée que les chiens se font du paradis, c'est d'aller faire un tour en voiture, toutes vitres ouvertes, le vent rabattant leurs oreilles. Grâce à la vitesse, le vent leur apporte

Le vent et les débris en suspension dans l'air peuvent provoquer une rougeur et une irritation des yeux.

des odeurs excitantes à foison, mais il dessèche et irrite aussi leurs yeux, et les fait rougir.

Infections. « Les infections oculaires peuvent naître d'elles-mêmes, ou bien si quelque chose irrite les yeux et permet à des organismes nuisibles d'y pénétrer » dit le docteur Gigliotti. De nombreuses infections affectent la conjonctive, cette fine couche de tissu qui recouvre l'intérieur des paupières. Un écoulement aqueux accompagne souvent la rougeur chez les chiens souffrant de conjonctivite.

Faire au mieux

Lavage des yeux. « Que la rougeur provienne d'allergies ou de dépôts, les vétérinaires recommandent de laver les yeux avec du sérum physio-

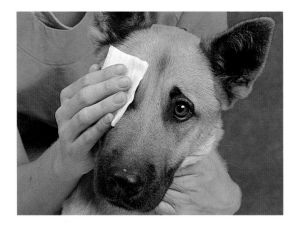

Une compresse tiède, doucement appliquée sur un œil rouge, aidera à diminuer l'inflammation et la douleur.

logique, disponible en pharmacie. Il a des propriétés adoucissantes, et aussi d'éliminer certains débris trop petits pour que vous puissiez les voir » dit le docteur Scholey. Voici comment procéder.

• Remplissez une seringue graduée ou un cône de pâtissier avec le sérum physiologique.

• Placez la tête de votre chien un peu en arrière, et maintenez son œil ouvert avec votre pouce et votre index.

• Envoyer un petit jet de liquide à la surface de son œil. Une fois cette opération terminée, prenez un peu de ouate ou un Kleenex très propre pour éponger l'excédent de liquide.

« Bien souvent les yeux reprennent une apparence normale dès le lendemain. Sinon, il y a sans doute un autre problème ; alors n'hésitez pas à appeler votre vétérinaire » dit le docteur Scholey.

Renseignez-vous sur les antibiotiques.
Puisque la rougeur des yeux est souvent causée par les infections, votre vétérinaire vous recommandera sans doute une pommade ophtalmique. Les antibiotiques peuvent soulager les symptômes même en un

seul jour. Le traitement doit cependant être prolongé selon la prescription de votre vétérinaire.

 EN BREF Les chiens qui ont les yeux brûlés par le vent ou le soleil s'en remettront bien vite si vous leur appliquez une compresse. Plongez un petit chiffon dans l'eau tiède, tordez-le, et placez-le sur les yeux de votre chien pendant quelques minutes, une fois par jour. Cette douce chaleur favorisera la circulation du sang, ce qui peut provoquer une importante amélioration.

AU SECOURS !

Les yeux sont remplis de liquides qui imprègnent les tissus en permanence. Avec l'âge, les minuscules pores à travers lesquels ces liquides s'écoulent peuvent s'encombrer, provoquant une montée de la tension dans les yeux. Cette pathologie, appelée glaucome, risque de les endommager très vite, et on la traite d'habitude avec des médicaments délivrés sur ordonnance. « Le glaucome se manifeste en général lentement, mais il arrive que des vétérinaires soignent des chiens pour un glaucome " rapide " : il se sera développé en quelques jours » dit le docteur Christopher J. Murphy, professeur de faculté en ophtalmologie. Un chien dont les yeux sont normaux un jour, et rouges et proéminents le lendemain, doit être immédiatement examiné par un vétérinaire, dit le docteur Murphy. Surtout si le chien est âgé, ou un Cocker spaniel ou bien un Basset hound, car ils sont enclins à souffrir de ce type de glaucome.

Évanouissement

Les chiens ne s'évanouissent pas s'ils sont excités ou effrayés. Mais cela risque d'arriver quand l'apport en oxygène au cerveau est temporairement arrêté ou ralenti – soit à cause d'un blocage physique dans l'arrivée de l'air dans les poumons, ou parce que le sang, qui transporte l'oxygène dans tout le corps, n'atteint pas le cerveau pour une raison quelconque.

Les soupçons habituels

Problèmes cardiaques. « La cause la plus fréquente de l'évanouissement est sans doute une maladie cardiaque, surtout dans le cas d'un arrêt cardiaque, qui provoque une interruption des signaux électriques destinés au cœur » dit Karen Zagorsky, vétérinaire.

Obstruction des voies respiratoires. Les chiens qui ont quelque chose qui est resté coincé dans les bronches risquent de ne pas pouvoir absorber suffisamment d'oxygène pour alimenter leur cerveau. « Ce problème concerne surtout les Boxers, les Bulldogs, et les Carlins, dont la trachée tend à être plus étroite que dans les autres races » dit le docteur Zagorsky.

Émanations chimiques. Certains chiens sont sensibles aux émanations de peinture ou d'autres produits chimiques – et n'importe quel chien peut s'évanouir si cette concentration est trop forte. Les émanations suffisamment violentes pour produire cet état risquent d'endommager les poumons, ce pourquoi il faut immédiatement consulter votre vétérinaire.

Accidents et maladies. « Les chiens qui ont été blessés à la tête sont susceptibles de s'évanouir – parfois des jours ou des semaines après la date de l'accident. Les chiens épileptiques s'évanouis-

PERTE D'ÉQUILIBRE

Ce n'est pas fréquent, mais il arrive qu'un chien tombe subitement et se roule par terre. On pourrait croire qu'il s'est évanoui, mais ce qui a dû se passer, c'est que son centre de l'équilibre a tout d'un coup perdu ses amarres.

« Cette mystérieuse pathologie, appelée maladie vestibulaire idiopathique, affecte la partie du système nerveux (système vestibulaire) qui contrôle l'équilibre. Les chiens qui en sont victimes peuvent aller très bien à un moment donné, puis perdre brusquement l'équilibre » dit Stephen Smith, vétérinaire. Les vétérinaires ne connaissent toujours pas la cause de la maladie vestibulaire idiopathique. Ils ont cru à une certaine époque qu'elle provenait de la consommation de lézards à queue bleue – jusqu'à ce qu'ils s'aperçoivent que la majorité des chiens qu'elle affecte n'ont jamais vu un lézard à queue bleue, et en ont encore moins mangé. Ils pensent aujourd'hui qu'elle résulte d'un déséquilibre d'ordre chimique dans les liquides de l'oreille interne.

Bien que les crises soient effrayantes, elles n'ont en général pas un caractère de gravité, et la plupart des chiens seront parfaitement remis dans les trois à cinq jours suivants.

sent aussi, de même que les chiens diabétiques, dont le taux de sucre dans le sang est descendu trop bas » dit Nanette Westhof, vétérinaire.

Narcolepsie. Les chiens souffrant d'une pathologie appelée narcolepsie peuvent s'effondrer tout à coup, et plonger dans un profond sommeil sans signe avant-coureur. Cette maladie n'est en général pas dangereuse, bien qu'un chien qui s'endort en haut des escaliers puisse très bien les dégringoler. Il n'existe pas de traitement définitif de la narcolepsie, mais on prescrit des médicaments appropriés.

Faire au mieux

Contrôlez le passage de l'air. Un chien qui s'est évanoui peut être sérieusement malade, mais avant d'appeler votre vétérinaire, il convient de faire un certain nombre de petits contrôles. Les informations recueillies l'aideront à établir son diagnostic.

• Examinez la couleur des gencives du chien. « Si elles sont pâles, ou ont une couleur bleuâtre, cela signifie que le cerveau est insuffisamment irrigué en oxygène » dit Lynn Harpold, vétérinaire.

• Contrôlez les battements du cœur. Le meilleur endroit pour prendre le pouls d'un chien, c'est l'intérieur de la cuisse, là où elle s'attache au corps. Si vous ne sentez rien, consultez votre vétérinaire dès que possible. Un manque d'oxygène pendant cinq minutes peut irrémédiablement endommager le cerveau de votre chien. Donc, avant même d'aller chez le vétérinaire, il faut rétablir la respiration. Pour une description illustrée de la respiration artificielle chez le chien, reportez-vous à la page 45.

• Regardez dans sa gueule pour voir si quelque chose est resté coincé dans sa trachée. En cas d'obstruction, soit ôtez l'objet, ou exécutez la manœuvre

Les chiens s'évanouissent quand une quantité insuffisante d'oxygène pénètre dans le cerveau. On peut effectuer rapidement un test en examinant leurs gencives. Elles doivent être rose bonbon. Des gencives pâles ou bleuâtres signifient que le corps ne reçoit pas tout l'oxygène dont il a besoin.

d'Heimlich. Voyez page 50 pour plus d'informations sur cette technique. Attention, en mettant la main dans la gueule de votre chien, vous risquez de vous faire mordre, dit le docteur Harpold. Si vous en avez le temps, enfilez vite une paire de gants épais.

Donnez-lui de l'air frais. Un chien qui tout à coup s'agenouille, pendant que vous repeignez la salle de séjour, a sans doute respiré trop d'émanations. La meilleure chose à faire, c'est de l'emmener à l'extérieur pour qu'il ingère de l'air frais. Les chiens qui se sont évanouis peuvent s'en remettre très vite, à condition que ce ne soit pas trop grave. Mais mieux vaut en parler à votre vétérinaire.

Fièvre

Tandis que des températures élevées, si elles se prolongent, risquent d'être dangereuses, la plupart des chiens supportent très bien la fièvre. En fait, ce phénomène peut être bénéfique puisqu'il sert de rempart à l'invasion des microbes dans le corps. « La fièvre fait partie des processus de guérison » dit Tim Banker, vétérinaire. « Les gens sont souvent très pressés d'enrayer le symptôme et refusent d'admettre que c'est une tentative que fait le corps pour se soigner soi-même. »

Bien sûr, même une petite fièvre peut rendre un chien très malheureux ; c'est la raison pour laquelle de nombreux vétérinaires recommandent de la faire baisser si elle atteint plus de 38° 5.

Les soupçons habituels

Infections. Les chiens fiévreux souffrent en général d'une infection bactérienne ou virale – à cause d'un rhume, par exemple, ou de la grippe. Mais ne vous risquez pas à interpréter la chaleur du front de votre chien. Puisqu'ils ont par nature une température supérieure à la nôtre, cette méthode n'est pas fiable. La seule manière de savoir à quoi s'en tenir est de prendre leur température avec un thermomètre rectal.

Hyperthermie. Pour ce qui est de générer de la chaleur, le corps fonctionne comme le moteur d'une voiture. Les chiens qui ont été « branchés », soit par l'exercice ou l'excitation, augmenteront leur chaleur interne de quelques degrés. Et puisqu'ils ne se libèrent pas de cette chaleur corporelle comme le font les humains, ils halèteront sans doute ou paraîtront fatigués pendant un bon

> ### LE BON ⁇ TRUC
>
> ### *Pouvez-vous détecter la fièvre en tâtant la truffe de votre chien ?*
>
> On croit souvent qu'une truffe fraîche est le signe d'une bonne santé, tandis qu'une truffe chaude signifierait que le chien est malade. « Bien qu'il soit charmant de pouvoir en décider ainsi, juste en tâtant la truffe de son chien, cela ne rime à rien » dit Bernadine Cruz, vétérinaire. « Une truffe humide est tout simplement une truffe humide » dit-elle. Il arrive que les chiens fiévreux aient une truffe sèche et chaud. Mais elle peut aussi très bien être humide. La seule manière de diagnostiquer la fièvre c'est, malheureusement, la vieille méthode du thermomètre dans le rectum.

moment. « Ce type de « fièvre » n'est pas problématique, bien sûr – à moins qu'elle n'atteigne plus de 44°, état connu sous le nom de coup de chaleur. Les chiens qui en souffrent doivent être immédiatement examinés par un vétérinaire » dit le docteur Banker.

Faire au mieux

Surveillez les emplacements qu'il préfère. Un chien fiévreux recherche les surfaces fraîches pour aider sa température à descendre. Ne serait-ce qu'une demi-heure passée au frais lui permettra d'abaisser sa fièvre de 2°, et cela suffira pour qu'il se sente mieux. Vous pouvez l'aider en faisant

Quand la température d'un chien est supérieure à la normale, il choisira peut-être d'aller se reposer dans un endroit frais, comme par exemple un sol recouvert de lino.

confiance à son instinct et en le laissant s'installer là où il est à l'aise.

Tous les chiens fiévreux n'ont pas trop chaud pour autant – ils peuvent aussi grelotter. Rien d'étonnant à ce que vous trouviez votre compagnon couché en boule sur le sol de la salle de bain le matin, mais contre le radiateur le soir.

Diminuez la fièvre grâce à l'aspirine. La meilleure façon de faire baisser la fièvre est sans doute de donner aux chiens de l'aspirine tamponnée ou enrobée (le quart d'un comprimé de 325 milligrammes pour un chien de 10 kg, une ou deux fois par jour). Certains chiens réagissent mal à l'aspirine. Il faut donc en parler d'abord à votre vétérinaire. Et ne prenez pas le risque d'y substituer d'autres médicaments comme l'Acétaminofène ou l'Ibuprofène, qui pourraient être dangereux dans ce cas.

Essayez de les soigner par les herbes. L'herbe Echinacea est connue pour sa capacité à aider le

COMMENT PRENDRE LA TEMPÉRATURE D'UN CHIEN

On ne peut pas utiliser les thermomètres oraux dans le cas des chiens, parce qu'ils risquent de les mordre. Les thermomètres à introduire dans l'oreille ne sont pas non plus adéquats, puisque les chiens ont un canal auriculaire en forme de L, et que les signaux émis auraient du mal à remonter jusque dans le tambour de l'oreille. La seule manière de procéder est d'introduire un thermomètre dans leur rectum.

Lubrifiez le thermomètre avec de la vaseline. Puis introduisez-le à peu près jusqu'à la moitié. Maintenez-le pendant environ trois minutes, essuyez-le et lisez-le. Les chiens ont en général entre 37° et 38° 5 degrés de température. Au dessus, ils ont de la fièvre.

AU SECOURS !

Bien que la fièvre fasse partie du processus de guérison, elle peut aussi être le signe de problèmes graves – depuis la maladie de Lyme jusqu'au cancer. Les vétérinaires se préoccupent plus de la fièvre chez les chiens jeunes ou âgés, parce qu'ils sont plus fragiles et se déshydratent très vite. La plupart des fièvres tombent très rapidement, mais si votre chien a de la température pendant plus d'une journée, et s'il montre d'autres symptômes comme les vomissements ou la perte d'appétit, appelez aussitôt votre vétérinaire.

souvent chez les animaux domestiques souffrant de la fièvre.

EN BREF « Une manière rapide d'abaisser la température consiste à étendre une serviette de toilette humide sur le ventre du chien » dit Bernadine Cruz, vétérinaire. « On peut arroser doucement les grands chiens avec le tuyau d'arrosage pendant une minute ou deux » ajoute-t-elle.

« Une autre façon de procéder est de tremper une boule de coton dans de l'alcool d'Isopropyl, et de l'appliquer sur l'estomac pendant quelques secondes. L'alcool s'évapore instantanément, ce qui rafraîchit la peau » dit le docteur Cruz. Mais faites très attention de ne pas intervenir sur une peau enflammée, cela le piquerait beaucoup.

corps à lutter contre l'infection. Elle n'enrayera pas la fièvre rapidement, mais aidera le corps à gérer le problème sous-jacent ; elle fera tout naturellement tomber la fièvre. Les vétérinaires familiers des soins par les plantes recommandent de donner 12 à 20 gouttes de teinture d'echinacea à un faible taux d'alcool, ou sans alcool, par 10 kg de poids, deux ou trois fois par jour.

Donnez-leur beaucoup d'eau. Les chiens fiévreux peuvent perdre des liquides essentiels et se déshydrater très rapidement, alors donnez-leur encore plus d'eau que d'habitude. Si votre chien refuse de boire, remplissez d'eau le réservoir d'une seringue débarrassée de son aiguille et glissez-la dans le coin de ses lèvres. Ne projetez pas le jet vers l'arrière, de peur qu'il n'atteigne les poumons.

Et pour faire encore mieux, vous pouvez remplacer l'eau par un peu de Pédialyte, qui aide à la reconstruction des éléments minéraux essentiels, appelés électrolytes, et dont la quantité diminue

Une manière facile d'abaisser la température de votre chien, c'est de lui frotter le ventre avec une boule de coton trempée dans de l'alcool d'Isopropyl. L'alcool s'évaporera très vite, rafraîchira sa peau et diminuera sa fièvre.

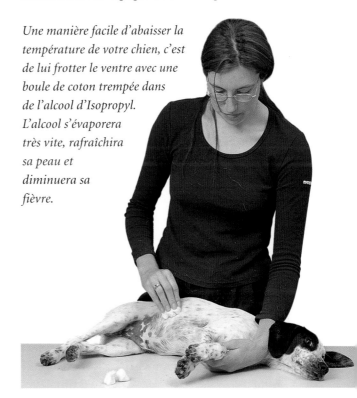

Flatulence

L'appareil digestif des chiens est riche en enzymes et en bactéries que le corps utilise pour transformer la nourriture en énergie. La présence de gaz est tout à fait naturelle dans ce processus. Mais si les chiens en ont de manière inhabituelle, ou si l'odeur est particulièrement nauséabonde, cela signifie qu'ils souffrent d'un déséquilibre intestinal.

Les soupçons habituels

Vers. « Un chien qui a des gaz est souvent infesté de vers » dit John Brooks, vétérinaire. Les plus communs sont les ténias et les ascarides, qui irritent la membrane interne de l'intestin et interfèrent dans la digestion même. Visibles sous forme de taches ou de filaments blancs dans les selles, ces vers ne sont en général pas dangereux, mais il ne faut pas les ignorer puisqu'ils peuvent être à l'origine d'autres problèmes.

Nourritures défendues. Bien souvent les chiens ne font pas la distinction entre les poubelles et leur propre plat, et les nourritures malodorantes le seront encore plus une fois diffusées dans l'air, des heures après une virée dans les poubelles.

Alimentation commercialisée. La plupart des produits alimentaires pour animaux, et commercialisés, contiennent des haricots blancs, du son, du froment, et des graisses, dont les enzymes ont du mal à venir à bout. Et si ces aliments ne sont pas totalement assimilés, ils s'accumulent dans le colon où ils fermentent, provoquant une grande quantité de gaz.

AU SECOURS !

Bien que les flatuosités soient si fréquentes que les vétérinaires sont plus enclins à en rire qu'à les prendre au sérieux, une augmentation soudaine de la quantité de gaz peut justifier une consultation vétérinaire.

Pour gagner du temps et aider votre vétérinaire à agir plus efficacement, ramassez un échantillon de selles récentes avant de quitter la maison, ajoute John Brooks, vétérinaire privé. Votre vétérinaire pourra constater s'il y a une présence de vers ou autres parasites, ainsi que de graisses indigestes – signes de problèmes pancréatiques.

Allergies alimentaires. « Les chiens allergiques à certains ingrédients contenus dans leur alimentation – ce qui arrive souvent avec la protéine du soja – digèrent mal et ont des gaz » dit le docteur Brooks. Ils peuvent même souffrir de diarrhée.

« Pour contrôler ce qui peut être responsable d'un mauvais fonctionnement, notez tout ce que votre chien a mangé dans les 24 heures précédant les épisodes nauséabonds » suggère Jim Hendrickson, vétérinaire. Bien souvent il suffit de changer de marque d'aliments pour que les odeurs soient plus supportables.

Ingestion d'air. L'air pénètre sans cesse dans l'appareil digestif, sans qu'on s'en aperçoive, et sans causer beaucoup de problèmes. Les chiens qui ingurgitent leur ration à toute vitesse risquent bien sûr d'avaler de l'air, qui doit se loger quelque part – donc il sort, et plusieurs fois par jour.

Maladie du pancréas. « Le pancréas est l'organe qui produit les enzymes digestives. Les chiens atteints d'une maladie du pancréas ou d'autres problèmes internes, comme les virus intestinaux ou le cancer de l'intestin, souffriront de flatuosités » dit le docteur Brooks. « Cet état, accompagné de selles molles et d'une perte de poids, est un avertissement évident de la nécessité d'une visite chez le vétérinaire » conseille-t-il. S'il s'avère que votre chien a des problèmes pancréatiques, il s'en remettra très bien grâce à des enzymes digestives qui remplaceront celles que son corps ne fabrique pas.

Les meilleures solutions

Optez pour un régime facile à digérer. « Pour savoir si la nourriture est la cause des effluves, donnez à votre chien une alimentation qui passera sans difficultés, comme du fromage blanc et du riz à l'eau pendant quelques jours » dit le docteur Hendrickson. Si l'air se purifie, vous pouvez opérer un changement définitif. Faites votre choix avec votre vétérinaire, en faveur d'aliments achetés en magasin, ou bien cuisinés à la maison.

Étalez la prise des repas. « Vous pouvez réduire la quantité d'air avalée par votre chien en lui donnant trois ou quatre petits repas par jour au lieu d'un gros » dit Joanne Hibbs, vétérinaire. Si vous avez plusieurs chiens, nourrissez-les séparément. Sinon ils pourraient s'empresser

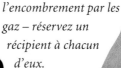

d'ingurgiter chacun son repas à toute vitesse, de peur que l'autre ne le lui prenne.

Envisagez un régime sélectif. Les allergies alimentaires sont faciles à traiter : si vous arrêtez de donner à votre chien les aliments auxquels il réagit mal, les symptômes disparaîtront. Les choses se compliquent parce que la plupart des chiens mangent des quantités de choses différentes chaque jour, depuis une variété de protéines jusqu'aux arômes de leurs récompenses en peau non traitée. Votre vétérinaire vous aidera à établir un régime dit d'élimination, qui vous permettra de savoir aisément ce que votre chien n'accepte pas.

EN BREF Les vétérinaires recommandent parfois un produit contenant des enzymes digestives qui aident énormément le fonctionnement de l'intestin. « C'est ce que je commence par essayer » dit le docteur Brooks. Il recommande d'administrer une demi-cuiller à café de produit par tasse de nourriture, en le mélangeant, et le laissant reposer pendant 10 minutes pour qu'il soit plus efficace.

Les chiens qui mangent dans le même bol se précipitent souvent sur leur nourriture de peur qu'on la leur prenne. Pour éviter la compétition – la voracité et l'encombrement par les gaz – réservez un récipient à chacun d'eux.

Il se lèche la patte

On pourrait croire que c'est une particularité de la race, mais ce n'est pas la raison pour laquelle certains chiens blancs ont l'avant des pattes de couleur foncée. On dirait qu'ils portent des chaussettes, et cela parce qu'ils se lèchent. Les réactions chimiques entre la salive, l'oxygène, et le pelage provoquent une couleur rouille.

« Les chiens au pelage pâle ne réussissent pas à cacher leur passion secrète, mais le léchage est une activité très répandue chez eux. La plupart se limitent à un toilettage rapide, mais certains s'y consacrent de manière obsessionnelle, et se lécheront les pattes pour un oui ou pour un non, parfois pendant des heures d'affilée » dit Lila Miller.

Les soupçons habituels

Allergies. « Fréquentes chez les races naines, les allergies comme le rhume des foins peuvent irriter la peau et provoquer des démangeaisons » dit le docteur Miller. Les pattes ne les grattent pas plus que les autres parties du corps, mais les vétérinaires ont découvert que les chiens allergiques au pollen, aux moisissures, ou à la poussière se concentrent sur leurs pattes, qui sont faciles à atteindre.

Ennui. « Les chiens qui s'ennuient facilement et ont peu d'activités se lèchent pour passer le temps et éliminer leur énergie nerveuse » dit le docteur Miller. « De plus, ils développent parfois un état appelé désordre compulsif obsessionnel, qui les pousse à ne

Tous les chiens lèchent leurs pattes, mais un léchage permanent signale une allergie ou des coussinets douloureux.

pas s'arrêter de faire certaines choses, comme se lécher les pattes ou se mordre la queue. Plus d'attention et plus d'exercice accordés aux chiens les empêcheront de trouver le temps long, et ils oublieront leurs pattes » dit le docteur Miller. Par contre, ce désordre compulsif obsessionnel est par ailleurs beaucoup plus sérieux et doit être traité par un expert.

Coussinets coupés et fendus. Les coussinets des pattes sont forts et résistants, mais il leur faut aussi longtemps pour se guérir s'ils ont été endommagés. Les chiens traitent ce problème de la même manière que les autres blessures, c'est-à-dire en se léchant abondamment.

Poils collés. Les chiens ont beaucoup de poils entre leurs orteils ; il arrive donc souvent que leurs poils s'emmêlent et forment de petites boules. Elles les irritent, et ils passeront des heures à essayer de les démêler et de faire disparaître l'irritation.

Faire au mieux

Améliorez son régime. « Les vétérinaires ont remarqué que les chiens avaient tendance à plus se gratter qu'autrefois. Ils soupçonnent les aliments

PLAIES DANGEREUSES

Les chiens aiment se lécher, et en général il n'y a pas lieu de s'en inquiéter. Mais quand cette activité se prolonge et devient très fréquente, il existe un risque de granulomes de léchage ; ce sont des plaies rouges et circulaires, très longues à guérir et très promptes à s'infecter, dit Lila Miller.

Une fois que les granulomes de léchage se sont étendus, il est extrêmement difficile de les faire disparaître. Les lotions hydratantes sont efficaces, la crème aux trois antibiotiques peut enrayer l'infection. Mais on ne réussit pas toujours à enrayer cette affection à la maison, et dans la plupart des cas il vaut mieux consulter votre vétérinaire, dit le docteur Miller.

Appliquez un adoucisseur sur leurs coussinets. Les coussinets des pattes ne se fendent pas et ne s'irritent en général pas à moins d'être plus secs que la normale. « Une manière rapide et efficace de les lubrifier consiste à appliquer une lotion contenant de la lanoline, une fois par jour, jusqu'à ce qu'ils redeviennent doux et souples. Mais ne pratiquez pas ce traitement plus de quelques semaines d'affilée. Il faut que les coussinets aient le temps de se durcir pour jouer leur rôle protecteur » dit le docteur Miller.

Couper les poils. « Dans le cas des chiens qui ont des pattes très poilues, il est conseillé de couper les poils se trouvant entre leurs orteils avec des ciseaux à bout rond » dit le docteur Miller. Cette intervention est d'autant plus utile chez les chiens d'appartement qui n'ont pas toujours l'occasion d'user suffisamment le pelage naturel de cette partie de leur corps.

pour animaux domestiques, et produits en très grandes quantités, de ne pas contenir toutes les substances nutritives nécessaires » dit Susan Wynn, vétérinaire. Elle recommande de donner aux chiens de la vitamine C, qui peut contribuer à un meilleur état de leur peau. Les chiens de plus de 25 kg prendront 1 000 milligrammes de vitamines C par jour, dit le docteur Wynn. Les chiens de taille moyenne 750 milligrammes, et ceux qui pèsent 8 kg ou moins, 250 milligrammes par jour.

« Un autre complément très efficace pour les problèmes de peau est l'huile de poisson » dit le docteur Wynn. Vous pouvez l'acheter dans les magasins spécialisés pour animaux domestiques. Elle recommande d'administrer aux chiens de moins de 8 kg une demi-gélule par jour, une gélule aux chiens entre 7 et 16 kg, deux gélules aux chiens de 16 à 25 kg, et trois gélules pour les chiens de plus de 25 kg.

Coupez les poils entre les orteils pour une irritation provenant de la formation de boules de poils.

Il perd ses poils

À l'exception de quelques rares races sans poils, tous les chiens ont des pelages doux et réguliers, peu importe leur âge. La plupart d'entre eux subissent une importante chute de poils deux fois par an, au printemps et à l'automne. Si cela est le cas hors saison, ou de manière importante, ou encore avec la formation de plaques, c'est le signal que quelque chose est intervenu, causant soit la cassure soit la chute de nombreux poils.

Les soupçons habituels

Acariens. Les follicules du poil du chien sont normalement occupés par de minuscules parasites, que l'on appelle les acariens. En petite quantité ils sont sans danger, mais s'ils se multiplient – ce qui arrive inévitablement quand les chiens sont malades ou que leur système immunitaire est défaillant – ils peuvent provoquer une importante chute des poils. Cette perte commence par le contour des paupières, de la gueule et à l'avant des pattes ; elle se manifeste par des plaques d'environ 3 cm.

Problèmes nutritionnels. La plupart des chiens trouvent toutes les protéines et tous les acides dont ils ont besoin dans leur nourriture. Mais certains souffrent de manques, soit parce qu'ils ont des besoins supérieurs à d'autres, soit parce qu'on ne leur donne que les restes de la table des humains. « Ces carences nutritionnelles peuvent provoquer la chute des poils, rendant ainsi le pelage peu épais et triste » dit Craig N. Carter, Ph. D., chef d'un service d'épidémiologie.

Stress. On dit des chiens qui perdent abondamment des poils hors saison qu'ils soufflent leur pelage, et c'est bien souvent le signal d'un stress physique ou émotionnel, quand par exemple ils ont été malades, ou si leur vie a changé d'une manière ou d'une autre. En général, le poil repousse et ce problème est vite réglé.

Puces. Quand les chiens se grattent à tel point que leurs poils s'envolent littéralement, on peut être sûr qu'ils ont des puces. Mais en se grattant sans cesse, non seulement le chien fait tomber les poils morts, mais en même temps il casse ceux qui étaient en bonne santé, d'où son apparence fort triste.

AU SECOURS !

Tout déséquilibre hormonal peut rendre un pelage sec, ou avec des plaques. L'affection la plus courante est une déficience thyroïdienne, appelée l'hypothyroïdie.

Les chiens atteints de bas niveaux d'hormones thyroïdiennes perdent en général leur poil par plaques régulières, des deux côtés de leur corps, dit Anna Scholey, vétérinaire. Parmi d'autres symptômes, on compte la fatigue, des modifications de l'appétit, et des changements dans les habitudes concernant la boisson et l'urine.

Les déficiences hormonales peuvent être très graves si elles ne sont pas décelées et soignées. Quand votre vétérinaire saura ce qui ne va pas, il remettra tout en ordre en prescrivant des compléments thyroïdiens, qui remédieront aux insuffisances hormonales.

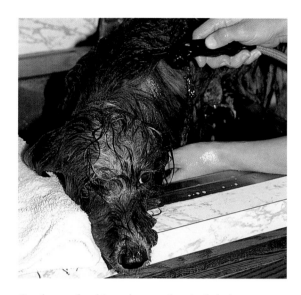

La plupart des chiens n'ont pas besoin de bains fréquents, mais ceux qui souffrent de séborrhée doivent être lavés chaque semaine avec un shampooing traitant.

Séborrhée. La séborrhée est une autre cause de démangeaisons ; dans ce cas, les cellules meurent et tombent sous forme de pellicules beaucoup plus vite que normalement, tout en s'accumulant sur la peau. Les huiles font de même dans les épaisses couches de ces cellules mortes ; d'où un pelage gras, malodorant, et une absence de poils par plaques, rappellant les effets de la teigne.

Faire au mieux

Attention à la teigne. La meilleure manière de savoir si un chien est atteint par la teigne est de diriger un rayon ultraviolet sur son pelage. Ces projections, que l'on peut se procurer dans les boutiques pour plantes et jardins, tendront à faire tourner au vert les parties infectées. Ce test n'est pas toujours probant, donc l'absence de reflet vert n'est pas com-

plètement fiable. D'autres substances applicables sur les poils, comme certains médicaments ou des huiles naturelles, émettront aussi un rayonnement.

Pour se débarrasser de la teigne, mettez des gants et coupez les poils très court autour de la région infectée, avec des ciseaux à bout ronds ou une tondeuse. Prenez bien garde de ne pas vous mettre, ou d'autres chiens, en contact avec vos gants ou les poils coupés, car la teigne est énormément contagieuse – pour les humains aussi bien que pour les animaux domestiques. Ensuite, lavez intégralement votre chien avec un shampooing antiparasite.

Débarrassez-vous des acariens. Les acariens constituent rarement un problème grave et ont tendance à s'éclipser d'eux-mêmes. Mais il arrive aussi qu'ils provoquent des infections bactériennes pouvant devenir douloureuses.

Si vous utilisez un shampooing médicalisé, vous arriverez dans la majorité des cas à éviter les acariens. S'il s'agit d'infections plus avancées, l'intervention d'un vétérinaire est nécessaire ; elle

PARTICULARITÉ DE LA RACE

Certaines races provenant des régions arctiques, comme les Huskys et les Malamutes de l'Alaska (à droite), ont une tendance génétique à absorber trop peu de zinc, ce qui peut provoquer une chute des poils en même temps que des plaques et des croûtes à la surface de la peau. Un complément de zinc, s'impose alors.

consiste surtout en bains réguliers dans une solution anti-acariens.

Éliminez les puces. Il est assez facile d'identifier les puces, mais infiniment plus difficile de s'en débarrasser. Une fois que votre compagnon est infesté, vous risquez de devoir multiplier les techniques d'attaque : shampooings antipuces, poudres et peut-être même des médicaments oraux.

« Pour mettre tous les atouts de votre côté, vous pouvez aussi traiter votre maison une fois par an avec un produit appelé Rx pour puces, ce qui diminuera leur nombre, et vous évitera d'avoir recours à des substances chimiques fortes » ajoute Susan Wynn.

Dissolvez les huiles. Même les vétérinaires ont du mal à contrôler la séborrhée. Le mieux est de laver votre chien avec un shampooing qui dissoudra les huiles, et que l'on trouve dans les boutiques spécialisées – et cela chaque fois que son pelage devient gras, et qu'il se gratte. La plupart des chiens n'ont pas besoin de bains fréquents, mais ceux qui souffrent de séborrhée sont parfois obligés d'en prendre un par semaine. « Des bains réguliers sont aussi souvent bénéfiques même pour des chiens sans séborrhée, mais dont le pelage est un peu moins fourni qu'il devrait l'être » ajoute Anna Scholey, vétérinaire. « Le lavage et le massage du poil stimulent la circulation et maintiennent la peau en bon état » explique-t-elle.

Achetez une nourriture d'excellente qualité. Il est inutile de dépenser des fortunes pour une alimentation de grand luxe, mais il faut acheter des produits de marque, qui contiennent tous les ingrédients requis. En outre, votre vétérinaire peut vous recommander de petits suppléments – soit des vitamines, des éléments minéraux ou des acides gras, qui sont bénéfiques pour la peau et le

Un brossage fréquent aidera à garder le pelage en excellent état grâce à une répartition des huiles et à une stimulation de la circulation.

pelage. « Il n'y a aucun inconvénient à effectuer ce traitement vous-même, mais il convient de demander à votre vétérinaire quelle est la meilleure façon de procéder » dit Dan Carey, vétérinaire.

« Il existe un équilibre idéal entre les acides gras oméga-3 et oméga-6, » dit-elle. « Trop de l'un ou pas assez de l'autre peut détruire l'équilibre. »

Brossez-les souvent. Mieux vaut brosser votre chien une ou deux fois par semaine que passer votre temps à ôter les poils de vos meubles. Le brossage stimule aussi la circulation et augmente la production d'huiles qui protègent la peau et le pelage.

Pertes génitales

Les chiens ont sans cesse des infections bénignes, que leur système immunitaire élimine longtemps avant que les symptômes n'apparaissent. Mais dans le cas de pertes génitales, vous pouvez être sûr qu'une infection s'est déclarée. La seule exception à cette situation c'est quand une chienne est en chaleur, auquel cas ces pertes sont normales et disparaîtront d'elles-mêmes au bout d'une semaine ou deux.

Les pertes génitales indiquent qu'un chien est malade, et il faut consulter un vétérinaire. Les infections ne sont pas toujours graves, et vous pouvez très bien aider votre chien à s'en remettre, et tout d'abord essayer de les éviter.

Les soupçons habituels

Infection des voies urinaires. Surtout chez les mâles, des pertes génitales teintées de sang peuvent signifier qu'ils ont une infection de l'urètre, le tube qui amène l'urine de la vessie dans le pénis.

Moins souvent, ces pertes peuvent provenir d'une blessure au pénis. Les femelles connaissent aussi ce type d'infections, mais les symptômes sont en général un besoin d'uriner fréquent et douloureux plutôt que des pertes de sang.

Infection de la prostate. Cette glande produit le liquide qui forme le sperme, et en cas d'infection elle peut provoquer des pertes jaunâtres ou sanguinolentes qui s'écoulent du pénis.

« Les chiens souffrant d'une infection de la prostate sont souvent très malades. Les symptômes sont des douleurs abdominales et la perte d'appétit » dit L. R. Danny, vétérinaire.

Infection utérine. « Les chiennes qui n'ont pas été opérées ont parfois une infection utérine appelée pyomètre, qui provoque des pertes de sang et du pus. C'est d'habitude le cas environ 45 à 60 jours après les chaleurs, mais s'il n'y a pas eu fécondation » dit le docteur Daniel.

Les chiennes qui ont récemment mis bas peuvent avoir des infections utérines quand une partie du placenta n'a pas été éliminée, d'où un terrain favorable aux bactéries. Ce type d'infection provoque en général des pertes vaginales très malodorantes qui, au début, sont aqueuses et un peu rouges, puis deviennent épaisses et brun foncé. Elles contiennent du pus quand l'infection progresse. « On peut soupçonner que quelque chose

Les chiennes qui ont récemment eu une portée, souffrent parfois d'infections utérines.

ne va pas bien si la jeune mère, qui est en général extrêmement protectrice, ignore ses chiots et refuse de manger » dit le docteur Daniel.

Fausse couche. Les chiennes enceintes ont parfois des pertes avant de faire une fausse couche ; elles contiennent en général du sang, éventuellement mélangé avec du pus. « C'est la manière qu'a la nature d'éliminer les fœtus anormaux, ou une infection interne qui mettrait en danger la vie de la mère » dit le docteur Daniel.

Faire au mieux

Demandez immédiatement de l'aide. Quand des pertes génitales se manifestent, l'infection est en général très avancée. « Ces infections peuvent être fatales, il faut donc consulter votre vétérinaire au plus vite » dit le docteur Daniel. Dans ce cas, on donne d'habitude des antibiotiques par voie intraveineuse, et le chien passera la nuit dans le cabinet du vétérinaire. Les infections sont souvent moins graves chez les mâles, et se guérissent en quelques jours grâce à des antibiotiques oraux.

Envisagez l'avenir. « Faire opérer son chien le protégera de presque tous les problèmes pouvant provoquer des pertes génitales, chez les mâles comme chez les femelles » dit le docteur Daniel. Les vétérinaires recommandent cette intervention vers l'âge de six mois.

Encouragez-les à boire. « Les chiens souffrant d'infections des voies urinaires en ont en général plus d'une ; la prévention à long terme est donc importante. Assurez-vous donc que le bol de votre chien est en permanence rempli d'eau fraîche, ce qui l'encouragera à boire plus ; les voies urinaires seront ainsi mieux irriguées et moins susceptibles d'infections bactériennes » dit Beverly

J. Scott, vétérinaire. De plus, on a remarqué que le jus de canneberge aide à éviter les infections en empêchant les bactéries d'adhérer à la membrane de la vessie. La majorité des chiens n'aiment pas ce goût-là ; mieux vaut donc leur donner beaucoup d'eau.

 EN BREF « Si vous soupçonnez votre chien d'avoir une infection de la prostate, une excellente idée est de placer un sac de glace sur son pénis en attendant d'aller chez le vétérinaire. Cela diminuera l'enflure que peut causer cette infection, et il sera moins mal à l'aise » dit le docteur Daniel.

AU SECOURS !

En général, les vétérinaires recommandent d'opérer les chiennes quand elles ont environ six mois – non seulement à cause du contrôle démographique, mais aussi pour éviter d'éventuelles infections. Ces maladies sont rares, mais si elles adviennent il faut réagir rapidement avant qu'elles ne progressent.

« Si votre compagnon est triste, a perdu l'appétit, boit énormément d'eau et accorde beaucoup d'attention à son arrière-train, par exemple en se léchant, regardez sous sa queue pour voir s'il a des pertes », dit le docteur L. R. Danny, vétérinaire. « Elles sont le signe qu'une infection s'est déclarée. Consultez immédiatement votre vétérinaire, dit-il ».

Irritation des gencives

Les chiens ne peuvent pas se brosser les dents ni utiliser un fil dentaire, mais les dentistes pour animaux le regrettent amèrement. Les maladies des gencives sont très fréquentes et occasionnent des problèmes allant d'une haleine épouvantable à la chute des dents et aux maladies cardiaques. Les gencives doivent être roses, luisantes, et lisses. Si elles sont rouges et enflées, cela veut dire que les tissus sont irrités.

Les soupçons habituels

Maladie périodontale. « Des gencives irritées sont presque toujours le résultat d'une maladie périodontale, état dans lequel les bactéries de la bouche envahissent les gencives en provoquant des infections, des enflures, et parfois des saignements » dit Taylor Wallace, vétérinaire.

Des gencives saines sont en général roses, douces, et fermes, sans aucun signe d'inflammation ou d'enflure.

Trop de mastication. « Les chiens adorent mastiquer, à tel point qu'il peut leur arriver de continuer même si leurs objets d'élection leur font mal et irritent leurs gencives » dit Rance Sellon, vétérinaire. Les jouets responsables sont ceux en peau non traitée et en nylon, les oreilles de cochon et les balles de tennis.

L'ennui. Certains chiens n'arrêtent pas de mâcher parce qu'ils n'ont rien d'autre à faire. Ceux qui regorgent d'énergie en arrivent même à ronger des cailloux, des grillages, et des cloisons en vinyle, le tout étant beaucoup trop dur pour leurs gencives. « Si vous pensez qu'il est capable de le faire, il le fera » dit le docteur Sellon.

Nourritures tendres. Les dents des chiens bénéficient d'un brossage naturel chaque fois qu'ils consomment une nourriture sèche et croquante. Ceux qui ont une alimentation moelleuse n'ont pas droit à ce nettoyage des dents et ce massage des gencives. De plus, les aliments tendres ont tendance à coller, et donc à favoriser la prolifération des bactéries.

Toxines. Beaucoup parmi les produits chimiques à usage domestique peuvent êtres caustiques. Les chiens qui arrivent à atteindre des engrais à base de poisson ou du désinfectant pour les toilettes risquent des gencives douloureuses et irritées.

Problèmes internes. Des maladies rénales ou les cancers peuvent faire saigner les gencives. De même dans le cas de la maladie du système immunitaire appelé thrombocytopénie, qui endommage les plaquettes sanguines, ces structures semblables à des cellules et qui aident le sang à coaguler. Ce problème semble plus fréquent chez les petites races, comme les Cockers spaniels et les Caniches. « Si les gencives de votre chien saignent sans que vous sachiez pourquoi, consultez votre vétérinaire » dit le docteur Sellon.

Faire au mieux

Priorité à l'alimentation sèche. Mieux vaut donner à son chien des croquettes plutôt que de la nourriture en boîte ou semi-humide. On réduira ainsi les chances de plaque dentaire, cette fine pellicule chargée de bactéries, qui se forme sur les dents et peut résulter en maladies périodontales ou en gencives qui saignent. Votre vétérinaire recommandera peut-être une alimentation particulière. Il s'agit de grosses croquettes qui ne se brisent pas au premier coup de dent. Au contraire, elles ne cèdent que quand les dents sont presque arrivées à les transpercer. Ainsi, le chien se nettoie tout en mangeant.

Donnez-lui beaucoup de biscuits. Si vous donnez des gâteries à votre chien, l'idéal ce sont les biscuits très croquants. Leur action abrasive aidera les dents et les gencives à rester propres. Les carottes, le brocoli, et autres légumes crus sont aussi excellents, bien que beaucoup de chiens ne les acceptent que s'ils sont cuits – auquel cas leur efficacité sera presque réduite à néant.

Quelques soins dentaires. « Le brossage est la meilleure manière de protéger les dents et les gencives. Plutôt que d'utiliser une brosse à dent pour chiens sur des gencives irritées, humidifiez un tampon de gaze, enroulez-le autour de votre doigt, et passez-le sur la face extérieure des dents et le long des gencives deux à trois fois par semaine » dit Agnes Rupley, vétérinaire. Le bicarbonate de soude est légèrement abrasif, et si vous en saupoudrez un peu sur une brosse à dents ou un tampon de gaze, les dents et les gencives n'en seront que plus propres.

« Certains dentifrices pour chiens sont, grâce à la présence de chlorhexidine, très efficaces pour contrôler les bactéries et prévenir les infections gingivales » dit le docteur Wallace. Si les gencives sont déjà douloureuses, mieux vaut utiliser du gel de chlorhexidine ; il est moins abrasif que la pâte.

AU SECOURS !

C'est en général dans le garage qu'on range les produits chimiques risquant de brûler la gueule et les gencives d'un chien, et cela en quelques minutes. Appelez immédiatement votre vétérinaire si votre chien a mangé de l'engrais ou des produits chimiques à usage domestique. En fonction de la composition, il se peut que le vétérinaire vous recommande de sortir et de lui laver la gueule avec le jet d'arrosage.

« Beaucoup de chiens se laissent laver doucement la gueule au jet d'arrosage, avec un vaporisateur ou un cône de pâtissier, » dit Agnes Rupley, vétérinaire. Mais faites bien attention d'orienter son nez vers le bas, ajoute-t-elle. « De la sorte, l'eau s'écoulera par terre, et non pas dans son estomac ».

Il secoue la tête

Contrairement aux oreilles humaines, qui ont la peau douce et sont ouvertes vers l'extérieur, celles des chiens sont essentiellement refermées sur elles-mêmes. Et chez les races aux oreilles droites, la combinaison du pelage et de canaux auriculaires aux formes compliquées crée un environnement chaud et moite – particulièrement favorable à toutes sortes d'infections.

Les chiens qui secouent la tête ont évidemment un problème à l'oreille. Ce peut être une teigne qui s'est fixée très bas, ou bien une infection qui progresse rapidement.

Les soupçons habituels

Infections de l'oreille externe. La cause la plus fréquente qui pousse le chien à secouer la tête est une infection d'une partie de l'oreille, qui s'appelle l'oreille externe. « Provoqué par des bactéries, des champignons ou autres organismes, ce type d'infection est particulièrement fréquent chez les chiens aux longues oreilles pendantes, dont l'intérieur offre un environnement très propice au développement des microbes » dit Stephen Simpson, professeur de faculté en neurologie animale.

Infections de l'oreille interne. Plus sérieuses que les infections de l'oreille externe, celles de l'oreille interne se manifestent quand des microbes se développent et prolifèrent quelque part dans le canal auriculaire. Ce type d'infection est difficile à

Les zones herbeuses contiennent souvent du vulpin, plante dont les graines irritantes peuvent pousser les chiens à secouer violemment la tête.

diagnostiquer, parce qu'il est invisible. Il provoque en général des écoulements pâles et malodorants, ainsi que parfois des pertes d'équilibre.

Acariens auriculaires. Ces minuscules parasites sont rarement dangereux, mais le mouvement de leurs petites pattes chatouille et irrite les oreilles ; les chiens secoueront donc leur tête pour essayer de s'en débarrasser. Les chats sont très sujets à ces parasites, et les chiens beaucoup moins.

Allergies. Les humains souffrant d'allergies ont souvent des problèmes stomacaux. Les chiens sensibles aux allergies ont, eux, tendance à souffrir de démangeaisons. Et s'ils ne se frottent pas les oreilles, ils secoueront la tête. Ceux qui ont le rhume des foins ont aussi quelquefois des oreilles rouges, enflées et irritées.

Corps étrangers dans les oreilles. Parce que les chiens enfoncent leur tête dans des terriers, des buissons, ou dans n'importe quoi qui les intéresse, bien souvent des teignes ou des graines pénètrent

Au secours !

Il arrive que les chiens secouent la tête tellement fort qu'ils se fouettent véritablement les oreilles, en abîmant les vaisseaux sanguins superficiels. Il s'agit là d'un othématome. Faute de traitement, ces hématomes peuvent définitivement défigurer les oreilles, ce pourquoi il faut appeler votre vétérinaire si une enflure apparaît.

dans leurs oreilles. Les chiens sportifs qui vivent beaucoup en extérieur, comme les Épagneuls et les Retrievers, sont évidemment les plus prédisposés à ces inconvénients.

Blessures. Contrairement aux oreilles humaines, qui sont étroitement attachées à la tête, les oreilles des chiens sont par nature plus vulnérables aux blessures et aux écorchures. Les chiens répondent parfois à la douleur ou à l'inconfort en donnant de violents coups de tête. Même les petites blessures à l'oreille risquent de saigner abondamment, mais pendant quelques minutes seulement.

Piqûres d'insectes. Les tiques peuvent s'accrocher à n'importe quelle partie du corps, mais ils recherchent particulièrement les oreilles à cause de la douceur de la peau qui facilite leur fixation. Les autres parasites qui s'attaquent aux oreilles sont les puces pénétrantes, les araignées et les moustiques.

Faire au mieux

Contrôle des oreilles. « Si vous découvrez un corps étranger, vous aurez sans doute trouvé la solution. On arrive en général facilement à ôter un petit élément à la main, comme une teigne ou une graine, bien qu'il faille ne pas aller trop profond dans l'oreille ni pousser ce qui y est bien accroché » dit Catherine Houpt, professeur de physiologie animale. Pour bien voir à l'intérieur des oreilles, utilisez une petite lampe de poche.

Interprétez l'odeur. Les infections de l'oreille, externe aussi bien qu'interne, provoquent en général une mauvaise odeur. On soigne souvent les infections de l'oreille externe avec des médicaments délivrés sans ordonnance, mais celles qui sont situées plus en profondeur peuvent justifier des antibiotiques. Puisque toute infection est potentiellement sérieuse, appelez votre vétérinaire si les oreilles de votre chien sont odorantes, rouges, rugueuses, ou enflées.

Débarrassez-les des acariens. C'est l'un des problèmes les plus faciles à diagnosti-

Si vous soupçonnez que quelque chose s'est logé à l'intérieur de l'oreille de votre chien, prenez une petite lampe de poche pour vous en assurer.

quer à domicile. Les acariens laissent derrière eux de petites traînées brun foncé, comme des grains de café. Les boutiques spécialisées pour animaux de compagnie disposent d'une variété de produits qui diminueront l'irritation dont souffre votre chien et tueront ces parasites. Suivez le mode d'emploi, et votre chien ne tardera pas à allez mieux.

« Avant d'utiliser un médicament, nettoyez l'oreille atteinte à l'aide d'un produit que vous vous serez procuré chez le vétérinaire ou dans le commerce. Après avoir fait gicler du liquide, massez la base des oreilles pour le répartir » dit Craig N. Carter, chef d'un service d'épidémiologie.

« Le nettoyage de l'oreille est indispensable pour s'assurer que le médicament est bien entré en contact avec les acariens » explique le docteur Carter. « Pour ce faire, employez une boule de coton ou un Kleenex propre ; mais n'utilisez pas de bâtonnets, qui risquent d'endommager le tympan » ajoute-t-il.

Propreté des oreilles. « Les chiens qui ont eu une fois des problèmes d'oreilles en auront d'autres. Mieux vaut prévoir un entretien régulier » dit Bernadine Cruz, vétérinaire. À cet effet, elle recommande une lotion délivrée sans ordonnance ou une solution faite à la maison, consistant en un quart de vinaigre blanc pour trois

De l'huile végétale tiède soulagera une oreille irritée. Faites-en tomber quelques gouttes, puis massez doucement la base de l'oreille pour une bonne diffusion.

quarts d'alcool isopropylique. L'alcool aide à la dissolution du sérum et tue les bactéries, et le vinaigre prévient les infections fongiques, explique-t-elle.

« Mais l'alcool peut brûler ; n'ayez donc pas recours à ce traitement si votre chien souffre de coupures, de blessures ou d'irritation » ajoute-t-elle.

EN BREF Les vétérinaires recommandent parfois de soigner les oreilles irritées avec quelques gouttes d'huile minérale réchauffée à température ambiante. « Dans ce cas, massez doucement la base de l'oreille pour répartir également l'huile et dissoudre le cérumen, puis essuyez le tout avec une boule de coton » dit Tim Banker, vétérinaire.

PARTICULARITÉ DE LA RACE

Les Schnauzers, les Caniches et les Cockers spaniels ont tendance à avoir des oreilles poilues. Les poils présents dans le canal auriculaire retiennent l'humidité et les débris.

Il s'oublie à la maison

La plupart des chiens sont propres dès l'âge de cinq mois. Et une fois qu'ils ont compris les règles, ils les enfreignent rarement. Les chiens bien éduqués mais qui ne cessent d'avoir des accidents à la maison ont en général un problème – et qui ne disparaîtra pas tout seul.

Les soupçons habituels

Ils attendent trop longtemps. La cause majeure de ces petits troubles – et qui concerne plus les propriétaires que les chiens – c'est sans doute de rester trop longtemps à l'intérieur. Même les chiens dont l'intestin et la vessie sont en parfait état ne peuvent pas se soustraire aux exigences de la Nature. Adultes, ils patienteront souvent de 10 à 12 heures entre les sorties, mais c'est vraiment leur demander beaucoup trop.

Faiblesse musculaire. Tous les muscles des chiens s'affaiblissent avec l'âge, et ceux qui conditionnent la vessie et les intestins sont soumis à la même règle. Cette situation se complique dans le cas des femelles opérées parce qu'elles ont peu d'œstrogène, une hormone qui protège les muscles. Mais tout chien âgé a plus de difficultés à se contrôler que dans sa jeunesse. Et les vieux chiens atteints d'arthrite, ou d'autres problèmes, ne peuvent plus se diriger vers la porte aussi vite qu'ils le voudraient.

Infections. « Les chiens qui urinent dans la maison – pas seulement une fois, mais plusieurs fois par jour – sont souvent atteints d'une infection des voies urinaires » dit Patrick Connolly, vétérinaire. « Ces infections provoquent une irritation de la fine

AU SECOURS !

Trouver occasionnellement une flaque ou un petit tas n'est pas pour vous mettre de bonne humeur au réveil ; mais ne décidez pas pour autant que c'est une habitude acquise. Presque tous les chiens ont commis des erreurs dans leur vie, et cela peut très bien ne pas se reproduire avant longtemps.

« Quand les accidents sont quotidiens, ou si votre chien a souvent la diarrhée ou laisse échapper un peu d'urine, appelez votre vétérinaire » dit Patrick Connolly, vétérinaire. « Si une diarrhée se montre persistante, c'est le signe d'un problème intestinal, et les pertes d'urine peuvent provenir d'une maladie rénale » explique le docteur Connolly.

membrane de la vessie et de l'urètre, et déclenchent un besoin urgent qu'ils ne peuvent pas contrôler. La situation est la même pour les chiens qui ont la grippe » ajoute le docteur Connolly. Comme dans le cas d'autres infections virales, cette maladie peut générer une diarrhée tout à fait inattendue.

Marquage du territoire. Les chiens sont instinctivement poussés à marquer leur territoire afin que les autres sachent qu'il leur appartient. Pour la majorité d'entre eux, il est évident que ce marquage par l'urine ne doit avoir lieu qu'à l'extérieur. Mais certains tiennent aussi à protéger en plus l'intérieur de la maison.

« Si votre chien est du type dominant et qu'un de vos amis vienne vous rendre visite avec son chien, cela peut vous causer quelques problèmes » dit Dennis Fetko, spécialiste du comportement animal.

« Le marquage du territoire n'est pas facile à gérer, parce qu'il ne se passe pas nécessairement en même temps que la " menace " d'origine » ajoute le docteur Fetko. Certains chiens se sentiront encore menacés pendant plusieurs jours ou plusieurs semaines, ou même des mois, et continueront de protéger leur territoire pour manifester leur présence.

Uriner en signe de soumission. Quand un chien veut exprimer à un autre sa soumission absolue, il se met sur le dos et urine sur-le-champ. Chez les chiens, ce type de comportement est en général pratiqué par les chiots ou les chiens adultes particulièrement timides ou soumis. Mais si cette situation existe dans le cadre familial, c'est un signe d'inquiétude de la part du chien, soit parce qu'il a été effrayé, soit parce qu'il existe une cause d'angoisse qui l'affecte énormément.

« Beaucoup de stress à la maison peut provoquer chez un chien qui manque de confiance en lui cette absence de contrôle » dit Janice DeMello, dresseur.

Faire au mieux

Sortez-les plus souvent. « Dans la majorité des cas, des sorties plus fréquentes permettront aux chiens d'être très propres à la maison » dit le docteur Connolly. Il est capital de les promener tôt le matin et après les repas ; c'est là que les besoins sont les plus pressants. Sortez-les aussi avant de vous coucher. Les chiens ont du mal à patienter plus de huit ou neuf heures, dit-il. Les chiots doivent sortir beaucoup plus souvent – au moins une

Quand un chien vient en visite, certains chiens urinent dans la maison pour informer l'intrus que ce territoire leur appartient.

fois toutes les deux heures pendant la journée, et toutes les quatre heures la nuit, ajoute-t-il.

Retour à la case départ. Les chiens qui tout à coup cessent d'être propres ont souvent besoin qu'on leur remémore les principes de base. « Ne quittez pas des yeux votre chien quand il est à la maison. Votre rôle est de le prendre sur le fait, avant même qu'il lève la patte ou s'accroupisse sur le tapis, puisqu'il est plus efficace de louer la bonne conduite quand il va où il le faut que de le punir pour avoir commis une faute, dit-elle. Inutile d'attendre qu'il soit presque en action » ajoute Driscoll.

PARTICULARITÉ DE LA RACE

La race des Bergers anglais a été modifiée pour qu'ils n'aient pas de queue, et l'on pense que cette particularité génétique affecte aussi leur contrôle de la vessie ; par comparaison avec d'autres races, ils ont tendance à uriner n'importe où.

Plus vous le sortirez, plus il aura l'occasion de vaquer à ses occupations, et les compliments que vous lui ferez l'aideront à comprendre comment il devra se comporter à l'avenir.

Aidez-les à avoir confiance en eux. « Rien d'étonnant à ce que les chiens urinent en signe de soumission quand ils sont entourés d'autres chiens ; c'est un comportement parfaitement naturel. Dans le cadre familial c'est inapproprié, ce pourquoi les dresseurs recherchent les manières de rendre les chiens soumis plus confiants » explique DeMello.

Elle recommande de consacrer quelques minutes chaque jour à des exercices d'obéissance de base, comme « assis », qui seront suivis de compliments s'ils ont bien réagi. Les chiens qui n'ont pas confiance en eux n'ont qu'un désir, c'est d'avoir l'approbation de l'homme. « Leur enseigner des choses simples et récompenser leur succès est la meilleure manière de leur redonner confiance » explique-t-elle. « Et quand vous ne faites pas d'exercices d'obéissance, emmenez votre chien en public, où il verra des lieux et des gens nouveaux » ajoute-t-elle. Les chiens qui urinent par soumission sont souvent effrayés par toutes sortes de choses. Plus ils auront d'expériences, plus ils seront audacieux et heureux.

Facilitez-leur la vie. Les chiens plus âgés connaissent peut-être la règle, mais ça ne sert plus à rien quand leur corps ne les aide pas. Vous pouvez prendre les devants en rapprochant le coussin de votre chien de son équivalent d'une « chatière », s'il en existe un dans votre maison. Sinon, déplacez sa literie là où vous pourrez le surveiller. Cela vous permettra sans doute de le sortir à temps.

Envisagez de les faire opérer. « Une fois qu'un chien a commencé à marquer son territoire, il est parfois très difficile de revenir en arrière » explique DeMello. Grâce à la castration, chez les mâles et chez les femelles, ce phénomène a bien des chances de disparaître surtout si on les fait opérer quand ils sont jeunes. Malgré tout, certains resteront défensifs ou agressifs à cause de la présence de congénères, et continueront d'exprimer leurs sentiments à l'intérieur de la maison. Tout ce que vous pouvez faire dans un cas semblable, c'est installer vos chiens dehors ou dans un endroit réservé.

TOUT DANS LA TÊTE

Peu importe l'état émotionnel du chien, le corps maintient les rythmes qui sont source de survie – jusqu'à un certain point. « Tout ce qui provoque un stress émotionnel peut entraîner une irrégularité des rythmes corporels. Et l'appareil digestif est particulièrement sensible, ce pourquoi la diarrhée est l'un des symptômes physiques les plus fréquents en cas de perturbation émotionnelle » dit Patti Schaefer, vétérinaire. Les vétérinaires appellent cet état la diarrhée psychogénique. Elle est très connue, et affecte jusqu'à 15 % des chiens à un certain moment de leur vie.

Même de petits changements dans l'existence d'un chien, comme aller au chenil pour un week-end, peuvent provoquer ce phénomène, ajoute le docteur Schaefer. « Nos animaux de compagnie sont parfois tellement proches de nous que si nous sommes stressés, ils le savent, eux aussi » dit-elle.

Léthargie

Certains chiens sont ralentis par nature, tandis que d'autres ont un tonus formidable. La seule manière de déterminer s'ils sont fatigués et plus léthargiques que d'habitude, c'est de connaître leur niveau d'énergie normale. « Il est parfaitement compréhensible qu'un chien soit effondré après s'être beaucoup dépensé, mais une léthargie dépassant un jour ou deux signifie à coup sûr que ce chien est malade » dit Sheldon A. Steinberg, enseignant de faculté en neurologie. Une léthargie qui se prolonge ou s'accompagne d'autres symptômes, comme des vomissements ou de la diarrhée, doit toujours être traitée par un vétérinaire. Mais de bas niveaux d'énergie ne sont pas pour autant problématiques, et se soigneront bien souvent à la maison.

Tous les chiens ont des baisses d'énergie, mais une léthargie permanente peut être un signe de problèmes internes, dont l'anémie et les maladies thyroïdiennes.

Les soupçons habituels

Fièvre. « La principale cause de la léthargie est la fièvre, en général consécutive à une infection » dit Kevin O'Neall, vétérinaire. La plupart des fièvres ne sont pas graves et disparaîtront quand l'infection sous-jacente – souvent une grippe ou une affection sans gravité – sera éliminée. « On peut considérer qu'un chien a de la fièvre quand sa température dépasse 38,5° » dit le docteur O'Neall.

Douleur. « Elle n'existe en général pas chez les jeunes chiens, mais il arrive que des chiens plus âgés soient atteints d'arthrites ou d'arthrose de la hanche, qui les feront longtemps et beaucoup souffrir » dit le docteur O'Neall. « On comprend très bien qu'un chien qui endure des douleurs articu-

laires ou musculaires n'ait pas beaucoup envie de bouger » explique-t-il. Et la douleur en soi peut fatiguer et enlever le goût de vivre.

Anémie. Il s'agit d'un état qu'il faut vraiment prendre au sérieux, et dans lequel tous les globules rouges s'avèrent inefficaces à diffuser l'oxygène dont le corps a besoin, soit parce qu'il n'existe pas assez de globules rouges ou bien parce qu'ils ne sont pas performants. Ce manque d'oxygène peut causer une extrême fatigue. Chez les chiots, les races naines et les chiens âgés, il arrive qu'une anémie résulte de la présence de puces ou d'autres parasites qui appauvrissent le sang. Les ulcères et certains états peuvent aussi être la cause d'anémies entraînant des hémorragies internes.

Excédent de poids. Les chiens qui passent trop de temps devant leur assiette prennent en général quelques kilos superflus. Ce qui implique normalement la nécessité de dépenser plus d'énergie que

pour faire quelques pas alentour. En outre, les chiens trop gros ne sont pas très tentés de prendre de l'exercice, et ce manque les rend encore plus fatigués.

Déficience thyroïdienne. La glande thyroïde contrôle le métabolisme du corps. Les chiens qui ne produisent pas assez d'hormone thyroïdienne, maladie qu'on appelle hypothyroïdie, manquent de dynamisme. Ils prennent aussi du poids parce que leur corps ne fonctionne pas aussi vite qu'il le devrait. Ce genre d'état se déclare souvent quand ils sont jeunes, mais les symptômes n'apparaissent que bien plus tard, quand les réserves d'hormone sont épuisées.

Faire au mieux

Fortifiez leurs articulations et leurs muscles. Puisque les problèmes d'articulation sont si fréquents chez les chiens âgés, les vétérinaires recommandent de consacrer quelques minutes par jour pour maintenir leurs articulations en bonne forme, et souples.

• Massez les parties douloureuses ou appliquez-leur une bouillotte enveloppée dans une serviette éponge. L'association du massage et de la tiédeur favorisera la circulation et rendra les articulations moins douloureuses.

• Les articulations qui ne travaillent pas deviennent raides et craqueront de plus en plus. Même un exercice modéré contribuera à améliorer leur lubrification et leur flexibilité.

• De l'aspirine – selon la dose habituelle, d'un quart de comprimé de 325 milligrammes par 5 kg de poids – peut réduire la douleur et l'inflammation. Puisque l'aspirine risque de provoquer des ulcères de l'estomac chez les chiens, parlez à votre vétérinaire avant d'administrer ce médicament.

Régénérez leur sang. On redoute l'anémie, mais à moins de vouloir l'ignorer, on arrive en

PARTICULARITÉ DE LA RACE

Les chiens les plus susceptibles de problèmes thyroïdiens incluent les Boxers, les Chow-chows (à droite), les Cockers spaniels, les Golden retrievers.

général à la juguler facilement. Les chiens qui manquent de sang, parce qu'ils sont infestés par les puces, redeviendront très vite dynamiques une fois débarrassés de ces parasites. « En complément des shampooings antipuces, les vétérinaires recommandent en général des produits comme Program et Frontline, qui tuent les puces et les empêchent de revenir » dit Bernadine Cruz, vétérinaire. On peut aussi éliminer les vers très facilement, grâce à des médicaments délivrés avec ou sans ordonnance. Les vétérinaires conseillent aussi souvent de donner aux chiens un complément ferreux et des vitamines B, qui aideront les globules rouges à revenir à un taux normal.

Mettez-les au régime. Les chiens maigrissent plus facilement que les humains, ne serait-ce que parce qu'ils n'arrivent pas à ouvrir le réfrigérateur tout seuls. La plupart d'entre eux perdront immédiatement du poids s'ils mangent moins – diminuez de 25 % leur ration habituelle – et s'ils font environ 20 minutes d'exercice physique par jour.

Il boite

Même aux chiens les plus costauds et les plus agiles il arrive d'être victimes de toutes sortes d'accidents et de blessures – comme pour les humains. S'ils se froissent un muscle ou se coupent la patte, ils boiteront pendant quelques jours, et jusqu'à la guérison.

Les soupçons habituels

Coupures. « La principale cause de claudication est probablement la coupure d'un coussinet » dit Grant Nisson, vétérinaire. Bien que les coussinets soient résistants, une écharde pointue ou un éclat de verre peuvent les perforer ou les fendre, et la marche deviendra difficile. Même si le coussinet n'est pas franchement endommagé, quelque chose peut y avoir pénétré, une petite herbe par exemple. Ces blessures par piqûres ne sont pas très douloureuses à moins de s'infecter, auquel cas tout le pied s'attendrira. Les blessures sont aussi problématiques quand un chien se cogne la patte sur un caillou ou sur un bâton.

Griffes longues. Les chiens qui marchent sur les trottoirs des villes ont un avantage par rapport à leurs congénères qui se promènent sur des pelouses, parce que le frottement permanent de leurs pattes sur le béton joue le rôle de pédicure naturel – et des griffes courtes ne se cassent ou ne se fendent que rarement. Mais les chiens aux griffes trop longues peuvent quand même les accrocher dans des tapis ou des surfaces rugueuses. Une griffe déchirée sera très douloureuse et mettra du temps à se guérir.

Muscles froissés musculaires. Les chiens ne sont pas toujours les créatures les plus gracieuses, et

il leur arrive de faire des chutes brutales qui froissent leurs muscles, leurs tendons ou leurs ligaments. De toute façon, ils prennent des risques quand ils courent à une vitesse folle et changent tout à coup de direction. « On a déjà vu des chiens se déchirer un ligament du genou » dit Joanne Smith, vétérinaire.

Arthrite. « La claudication est en général causée par des blessures, mais certains chiens boitilleront s'ils ont une ou plusieurs articulations abîmées. Il en est de même pour ceux qui souffrent de dysplasie qui, en portant sur les articulations de la hanche, peut entraîner une forme douloureuse d'arthrite » dit Susan Vargas, vétérinaire

Morsures de tiques. Ce qu'il y a de pire dans le cas des tiques, ce ne sont pas leurs morsures – que les chiens ne sentent pas – mais les maladies qu'elles transportent. « Des affections comme la maladie de Lyme transmettent par les tiques et risquent de provoquer des douleurs musculaires et le

AU SECOURS !

« Une claudication qui ne s'améliore pas en quelques jours nécessite une consultation vétérinaire, car elle peut résulter d'une fracture ou d'une foulure importante » dit Bernadine Cruz, vétérinaire.

« Si cette claudication persiste pendant plus de 48 heures, et surtout si elle empire et qu'il existe une enflure, il faut demander un conseil médical » dit-elle.

craquement d'articulations devenues très douloureuses » dit le docteur Nisson.

Faire au mieux

Rétrécissez le champ. Pour cibler le meilleur traitement, c'est à vous de découvrir pourquoi votre chien boite. Les vétérinaires recommandent ce contrôle très simple : des chiens qui allaient très bien pendant qu'ils étaient dehors, mais sont revenus en boitant, se sont blessés. Par ailleurs, des chiens qui se sont couchés en pleine forme, mais qui se réveillent en boitant, risquent d'être atteints d'un problème plus grave.

Nettoyez les coussinets. « Les coussinets blessés sont sans doute la cause la plus fréquente de la claudication ; cela vaut donc la peine de s'assurer qu'il s'agit d'une simple coupure ou bien d'une pénétration. Même si vous n'en êtes pas sûr, vous pouvez toujours nettoyer parfaitement le coussinet avec une solution de Bétadine et d'eau tiède. Trempez la patte pendant 10 minutes, trois fois par jour, et continuez pendant quatre jours » dit le docteur Nisson. « Si la région est encore infectée – les signes d'infection sont le pus, l'enflure et une odeur désagréable – appelez votre vétérinaire ».

Appliquez du froid suivi de chaleur. Si vous ne décelez rien d'anormal sur le coussinet, c'est qu'il n'est que meurtri. Les vétérinaires recommandent de mettre des glaçons dans un sac plastique enveloppé dans une serviette et de les maintenir sur la partie douloureuse pendant environ 10 minutes. Répétez cette opération trois à quatre fois pendant les premières 24 heures. Le deuxième jour, abandonnez la glace et appliquez une compresse tiède pendant 5 à 10 minutes, plusieurs fois par jour, dit le docteur Nisson.

L'alternance du chaud et du froid est tout aussi efficace sur les entorses et les foulures.

Pratiquez un massage. « Un massage et des mouvements légers de la patte, sur toute sa longueur, pendant environ 15 minutes, une ou deux fois par jour, amélioreront la circulation et permettront aux entorses de se guérir plus rapidement » dit Anna Scholey.

Aidez le corps avec de la vitamine C. « Cette puissante substance nutritive antioxydante contribue à la guérison des tissus dans tout le corps, y compris les articulations. Elle semble très efficace chez les chiens souffrant de dysplasie de la hanche » dit le docteur Scholey. Elle recommande de donner aux petits chiens environ 100 milligrammes de vitamine C deux fois par jour, 250 milligrammes aux chiens de taille moyenne deux fois par jour, et 500 milligrammes aux grands chiens, pareillement.

Prévenez les infections. On ne peut pas soigner à domicile les maladies causées par des piqûres de tiques. Vous pouvez cependant les éviter en passant un peigne fin dans le pelage de votre chien, afin de les enlever avant qu'elles ne s'accrochent sur eux. Dans une région où elles prolifèrent, les vétérinaires recommandent de renouveler cette petite opération après chaque promenade.

Excroissances

vec l'âge il est tout à fait naturel que les chiens prennent un petit kilo et que leur museau grisonne. Mais parfois leur corps cesse d'être lisse et on découvre de petites boules sous la peau.

Si vous ne savez pas de quoi il s'agit, toute grosseur justifie d'être examinée par un vétérinaire. La plupart ne sont pas des cancers, et les spécialistes savent très bien ce qui nécessite une attention particulière. « Ce que je vois le plus couramment, ce sont des tumeurs graisseuses, des kystes et des verrues qui sont sans danger » dit Karen Zagorsky, vétérinaire.

Les soupçons habituels

Tumeurs graisseuses. Les chiens âgés accumulent très fréquemment des cellules graisseuses sous la peau. Si un grand nombre d'entre elles se rassemblent au même endroit, elles forment une masse molle et spongieuse, le lipome. Les lipomes peuvent devenir assez gros, et si vous les poussez du doigt ils circuleront librement sous la peau de votre chien.

Infections des follicules pileux. Chaque poil du pelage d'un chien est ancré dans une minuscule ouverture de la peau qui s'appelle un follicule pileux. Bien souvent les bactéries se multiplient dans un ou plusieurs follicules, provoquant ainsi une petite infection. Cette situation n'est en général pas sérieuse, ni plus douloureuse que celle que les humains connaissent, et elle guérit d'elle-même.

Kystes des follicules pileux. Ce sont de minuscules poches remplies de liquide, qui se forment parfois à l'intérieur des follicules pileux. Puisque ces kystes sont rarement plus gros que l'extrémité d'un coton-tige, la seule chance que vous ayez de les découvrir, c'est en brossant votre chien, ou en le caressant ; là, vous sentirez de petites bosses.

Ce type de kystes est rarement douloureux et bien souvent ils éclatent et se résorbent tout seuls sans causer aucun problème.

Verrues. Les humains sont beaucoup plus sujets aux verrues que les chiens. Quand cela est le cas chez

La recherche de grosseurs fait partie du check-up régulier de votre chien.

AU SECOURS !

Avec leurs grandes oreilles et leur tendance à les gratter, les secouer, et parfois les cogner, il arrive que des chiens abîment occasionnellement leurs minuscules vaisseaux sanguins. Dans ce cas, du sang s'accumule entre la peau et le cartilage, résultant en une meurtrissure enflée, appelée un hématome auriculaire. « Ces hématomes peuvent atteindre de grandes dimensions, et s'ils éclatent, ils provoquent un saignement abondant » dit Lowell Ackerman, vétérinaire. Ces enflures risquent même de défigurer les chiens de façon permanente, ou d'endommager leur ouïe si on ne les soigne pas. Une fois qu'un vétérinaire aura absorbé le sang ou d'autres liquides responsables de l'enflure, la guérison sera très rapide.

eux, elles apparaissent plutôt sur la tête ou la gueule. « Les verrues sont fréquentes chez les jeunes chiens, et se transmettent facilement de l'un à l'autre » dit Lowell Ackerman, vétérinaire et dermatologue. La taille des verrues varie d'une tête d'épingle à plus de 3 cm de diamètre ; elles sont en général rosâtres ou grises. On a l'impression qu'un petit morceau de chewing-gum s'est collé sur la peau du chien.

Les médicaments délivrés sans ordonnance à l'intention des humains ne conviennent pas aux chiens, dont ils risquent d'abîmer la peau. Les vétérinaires conseillent de ne pas intervenir dans cette situation, à moins que, par exemple, elles soient dérangeantes pour manger – auquel cas on les sectionne, ou on les détruit avec un azote liquide.

Hyperplasie des glandes sébacées. « Malgré son appellation peu sympathique, cet état ne pose pas de problème. Il se manifeste quand les glandes productrices d'huile dans la peau grossissent ou fonctionnent trop vite, et forment un léger renflement. Cette situation est fréquente chez les chiens âgés » dit le docteur Ackerman.

Faire au mieux

Prenez conseils. Puisqu'il est impossible de décider à la maison si une excroissance ou une protubérance est grave ou pas, appelez votre vétérinaire dès que vous détectez un changement dans l'apparence de la peau. Celles qui grossissent rapidement risquent d'être sérieuses. Il ne faut pas négliger une grosseur qui semble en relation avec un os, l'intérieur du poitrail ou un mamelon.

« Bien que la majorité des excroissances épidermiques soient sans risque, beaucoup de cancers sont difficiles à distinguer des kystes bénins ou des tumeurs » dit Lillian Roberts, vétérinaire.

Traitez les infections. Les excroissances occasionnées par des infections sont en général faciles à identifier, à cause de la présence de pus, ou parce que la région est chaude, rouge et tendre. L'application d'une compresse humide et tiède, plusieurs fois par jour pendant cinq minutes, aidera l'infection à s'évacuer. Puis séchez bien la zone en question, et appliquez une pommade aux trois antibiotiques, délivrées sans ordonnance.

N'y touchez pas. Puisque la majorité des Excroissances ne sont ni douloureuses ni dangereuses, les vétérinaires recommandent de les oublier, après s'être assuré qu'il ne s'agissait pas de cancers. Dans les rares cas où les grosseurs sont dérangeantes, elles sont presque toujours faciles à enlever.

Modifications des griffes

Contrairement aux humains, dont les ongles sont tout juste bons à ne pas rester propres, les chiens utilisent leurs griffes en permanence pour creuser et gratter. Et puisqu'ils restent toujours en contact avec des surfaces plus ou moins dures et rugueuses, ils ne les ménagent pas ; il leur arrive donc de se casser ou de se fendre. Les ongles cassés ne sont pas seulement douloureux, mais sujets à des infections difficilement curables, qui peuvent même aggraver cet état.

Les soupçons habituels

Ongles longs. « Les ongles courts ne s'abîment en général pas, mais les ongles longs sont plus faibles et susceptibles de se détériorer » dit Lila Miller.

Cette situation atteint souvent les ergots de l'intérieur de la patte parce que, n'étant jamais en contact avec le sol, ils ne s'usent pas. De plus, les ongles longs sont crochus, et d'autant plus sujets à se prendre dans un tapis et à s'arracher.

Infections. Puisque les chiens ne portent pas de chaussures, leurs pattes sont constamment exposées aux intempéries et aux bactéries qu'elles charrient. Ceux qui restent longtemps dehors, dans l'eau ou à l'humidité, risquent beaucoup de souffrir d'infections des ongles, puisque de nombreux organismes tendent à se développer dans un environnement moite.

Carence en acides gras. Bien qu'ils n'aient ni l'apparence, ni ne donnent la même sensation que la peau, les ongles en sont véritablement un prolongement. « Tout ce qui nuit à la peau, comme un manque de graisses dans l'alimentation, peut rendre

Les bactéries se développent dans l'humidité, si bien que les chiens qui passent leur temps dans l'eau, ou au bord de l'eau, risquent plus des infections des ongles.

les ongles cassants » dit Nancy E. Wiswall, vétérinaire.

Maladie des 20 ongles. « Ce n'est pas fréquent, mais il arrive que des chiens souffrent d'onchyodystrophie lupoïde, ou maladie des 20 ongles, qui cause leur chute intégrale. Quand ils repousseront, ils seront fragiles et cassants » dit Grant Nisson, vétérinaire. « Les vétérinaires ne sont pas très sûrs des causes de cette pathologie, mais il se peut qu'elle soit en rapport avec le système immunitaire » dit-il.

Faire au mieux

Améliorez leur alimentation. Si vous avez choisi une alimentation économique, vous pouvez

LA TAILLE DES GRIFFES

À moins que votre chien ne souffre d'une maladie sous-jacente, la taille de ses ongles évitera en général qu'ils ne se cassent. « Chez la plupart des chiens il faut procéder à ce soin environ une fois par mois, bien que les plus âgés puissent en avoir besoin assez souvent » dit Nancy E. Wiswall, vétérinaire.

• Les ongles cassés ont tendance à se fendre pendant les soins ; il faut donc choisir un coupe-ongles bien aiguisé, spécialement conçu pour cet emploi, ou tout simplement une lime à ongles, et travailler vers l'arrière. N'utilisez pas de coupe-ongles style « guillotine », parce qu'ils risquent d'écraser les ongles fragiles.

• Avant de commencer, trempez les ongles dans l'eau tiède pendant 15 minutes ; la tâche sera plus facile, suggère le docteur Wiswall.

• Si votre chien ne veut pas rester tranquille pendant ce temps, plongez un chiffon dans l'eau tiède et embobinez-le autour de sa patte pendant 10 à 15 minutes. Pour éviter de tenir sa patte durant cette étape préparatoire, recouvrez le chiffon avec un sac plastique et scotchez-le.

• Certains chiens détestent qu'on joue le rôle de pédicure alors coupez un ou deux ongles, et fragmentez la suite de l'opération dans les jours qui suivront, conseille le docteur Tim Banker, vétérinaire.

• Quand vous coupez les ongles de votre chien, faites attention de ne pas tailler dans le vif, c'est-à-dire dans la partie interne qui contient des nerfs et des vaisseaux sanguins. Beaucoup de chiens ont des ongles noirs ; il est donc difficile de savoir où commence la chair vive. Mieux vaut travailler extrêmement prudemment par petits à-coups, en cessant quand le terrain s'attendrit. Si vous atteignez la chair, arrêtez le saignement avec un astringent, ou en saupoudrant l'ongle avec de la farine de blé ou de maïs.

• « On peut commencer à couper les ongles d'un chiot dès 10 à 12 semaines » dit Lila Miller. À cet âge-là mieux vaut se contenter de ne couper que l'extrême pointe.

Ne coupez que la pointe de la griffe, pour éviter de blesser la chair tendre.

En utilisant une pince coupante bien aiguisée, taillez la pointe de la griffe. Évitez les pinces à guillotine sur des griffes fendues.

AU SECOURS !

Les infections des ongles ou de leur base peuvent être sérieuses parce qu'elles mettent longtemps à guérir, et sont difficiles à soigner. Si votre chien commence tout à coup à boiter, regardez ses ongles. Les infections de cette région se caractérisent en général par du pus ou un écoulement collant et noir ; dans ce cas, appelez immédiatement votre vétérinaire.

Même détectées à temps, les infections des ongles se résorbent lentement. Certains chiens devront prendre des antibiotiques pendant plus d'un mois. Malgré le traitement, il arrive que des infections de ce type ne guérissent jamais. Dans ce cas, le vétérinaire vous conseillera peut-être d'enlever les ongles. Cette intervention n'est ni douloureuse ni dangereuse, mais elle implique une anesthésie générale et un jour en clinique. Si le spécialiste ne supprime que la partie morte de l'ongle, celui-ci repoussera progressivement. Mais certaines situations nécessitent l'ablation totale de l'ongle, auquel cas il ne repoussera pas.

au moins six mois pour qu'un ongle repousse plus solide et plus fort qu'il ne l'était à l'origine.

Gardez-lui les pattes au sec. « Pour diminuer les risques d'infections, il faut s'assurer que les chiens ne passent pas trop de temps sur un sol humide ou boueux » dit Anna Scholey, vétérinaire. Les chiens vivant dehors, dans un chenil, ou ceux qui courent, ont d'habitude des pattes bien plus saines si le sol est en béton plutôt qu'en terre battue.

Dans le cas des chiens de travail, qui ne sont pas toujours protégés par rapport à un environnement humide, ou ceux qui ne peuvent pas résister à la tentation de jouer dans l'eau, il est important de leur essuyer les pattes aussi souvent que possible pour éviter les infections.

Des pattes humides sont un terrain propice aux infections ; donc, assurez-vous qu'elles sont bien sèches, et ainsi les ongles resteront sains.

toujours passer à la qualité supérieure, garantie par une marque, et qui contiendra sans doute plus d'acides gras. En outre, votre vétérinaire vous recommandera peut-être des suppléments diététiques contenant des acides gras, et que vous vous procurerez dans les boutiques spécialisées. Les quantités varient en fonction des chiens ; votre vétérinaire sera de bon conseil. « Les changements de nourriture sont souvent efficaces, mais le résultat n'est pas immédiat » dit le docteur Wiswall. Il faudra parfois

Dépigmentation du museau

Il arrive que la pigmentation du museau d'un chien diminue, et tourne au blanc ou au rouge. C'est rarement un problème de santé, mais c'est pour le moins inhabituel. Pour les propriétaires, cela veut parfois dire que leur chien ne participera plus à des concours en attendant le retour de sa couleur d'origine – et s'il a lieu.

Les soupçons habituels

Allergies. « La première question que je pose aux gens qui se plaignent de la décoloration du museau de leur chien, c'est s'ils lui donnent ses repas dans un bol en plastique » dit John Hamil, vétérinaire. Certains chiens réagissent au plastique, s'il est employé au quotidien, d'où une décoloration.

Irritations. Des égratignures et des coupures du museau entraînent souvent des modifications de sa couleur, du moins temporairement. « Le pigment se déplacera hors de cette zone, et une fois le museau guéri, il reviendra peu à peu » dit le docteur Hamil.

Maladies internes. Ceci n'a pas été prouvé, mais certains vétérinaires pensent que le lupus et le pemphigus sont peut-être responsables de cette pâleur.

Un autre trouble de l'immunité, appelé le syndrome de Harada, abîme les yeux ainsi que les pigments de la peau. Les vétérinaires traitent souvent cette pathologie avec des stéroïdes, qui aident à contrôler les défenses immunitaires.

Nez de neige. Les vétérinaires ne savent pas très bien pourquoi, mais certaines races de chiens – surtout les Colleys et les races nordiques comme les Huskys de Sibérie, les chiens des esquimaux d'Amérique, et les Malamutes de l'Alaska – per-

PARTICULARITÉ DE LA RACE

Les Dobermans, les Pinschers et les Rottweilers (à droite) sont plus susceptibles au vitiligo, maladie où les cellules de l'épiderme perdent leur mélanine, ou pigment. Dans ce cas, le museau n'aura plus jamais sa couleur d'origine, mais cette affection est absolument indolore.

dent la pigmentation de leur museau pendant les mois d'hiver. Les spécialistes pensaient autrefois que cette particularité, appelée nez de neige, était provoquée par l'intensité du soleil se réfléchissant sur la neige et causant une décoloration, ou bien alors par la combinaison du froid et des chocs, puisque les chiens se servent souvent de leur nez comme d'une pelle à neige. Mais on s'est aperçu que les mêmes chiens vivant sous des climats plus tempérés avaient cependant le nez de neige. Les conditions atmosphériques n'en sont donc pas responsables.

Lumière du soleil. La majeure partie du corps d'un chien est couverte par son pelage, ou du moins une peau résistante. Mais son nez est dépourvu de poil, tendre, et très vite brûlé par le soleil. Il s'éclaircira donc, ou prendra une couleur foncée.

AU SECOURS !

La truffe du chien est riche en vaisseaux capillaires – ces petits vaisseaux sanguins qui normalement permettent à un sang rouge vif de circuler. Si la truffe d'un chien prend soudain une teinte bleuâtre, il peut être victime d'une cyanose, pathologie dans laquelle le sang n'est plus assez riche en oxygène. « C'est un signe de problèmes respiratoires pouvant être provoqués par une difficulté cardiaque » dit Peggy Rucker, vétérinaire. « Ce cas est très fréquent chez les Loulous de Poméranie, dit-elle. Leurs propriétaires remarquent cet étrange changement de la couleur de la truffe de leur chien longtemps avant qu'ils ne se rendent compte que celui-ci a du mal à respirer ».

« La cyanose est toujours une urgence que seul un vétérinaire peut soigner. Mais la couleur de la truffe ne donne pas toujours un indice chez les chiens dont la truffe est déjà foncée ».

Faire au mieux

Passez aux bols en verre, en céramique, ou en métal. Les allergies au plastique ne sont pas vraiment fréquentes, mais elles arrivent suffisamment souvent pour que de nombreux vétérinaires conseillent systématiquement l'utilisation de récipients hypoallergéniques, en métal, en verre ou en céramique. Si une allergie au plastique est responsable des problèmes de votre chien, il faut commencer par changer son bol ; et vous mesurerez sans doute l'amélioration au bout de quelques semaines.

Donnez leur chance aux compléments. Certains éleveurs jurent que si on donne aux chiens de la vitamine E et du varech, que l'on trouve dans les boutiques de diététique, les nez de neige reprendront leur couleur d'origine. Nous n'avons pas de preuves suffisantes que cela soit efficace, mais ces compléments ne sont en rien nuisibles, et valent la peine d'être essayés. Demandez à votre vétérinaire quelle est la dose appropriée à votre chien.

Protégez-les du soleil. Tandis que la majorité des chiens peuvent très bien passer des heures au soleil, et sans aucun problème, ceux dont le museau a pâli, ou qui ont un pelage blanc, marron clair, ou feu, méritent une petite protection. Peggy Rucker, vétérinaire, recommande de passer sur leur museau une crème spéciale contenant un facteur de protection solaire (SPS) d'au moins 15. On sait très bien que les chiens le lécheront ; il faut donc répéter l'opération assez souvent. Assurez-vous de ne pas utiliser une crème contenant de l'oxyde de zinc ou PABA, qui risque d'être dangereuse quand il est ingéré.

Certains chiens ont le museau qui se dépigmente à cause d'une allergie au plastique de leur bol. Il est recommandé de les servir dans des récipients en métal, en verre, ou en céramique.

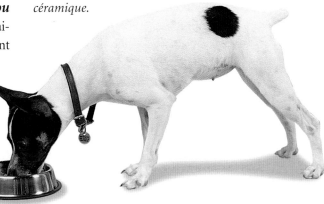

Il a le nez qui coule

Les chiens n'ont pas aussi souvent la goutte au nez que les humains parce que, chez eux, l'histamine – cette substance chimique souvent responsable d'un écoulement nasal – se concentre dans la peau plutôt que dans les fosses nasales. Si votre chien a le nez qui coule, la meilleure chose à faire, c'est de contrôler la couleur de l'écoulement. Cela vous donnera de précieuses informations sur les causes du problème et sur la possibilité de le résoudre à la maison.

Les soupçons habituels

Infections virales. « Les chiens souffrent fréquemment d'infections virales bénignes ; dans ce cas l'écoulement est clair » dit John Angus, vétérinaire. La plupart du temps, ce type d'infection disparaît spontanément et en quelques jours. « Mais en attendant votre chien peut être contagieux et en infecter d'autres » dit le docteur Angus.

Infections bactériennes et fongiques. « Tandis que les infections respiratoires d'origine virale ne sont en général pas graves, celles qui sont provoquées par des bactéries ou des champignons peuvent sérieusement poser problème si elles ne sont pas traitées par des médicaments » dit le docteur Angus. « Si l'écoulement est sanguinolent, épais, laiteux, ou vert, il est grand temps de consulter votre vétérinaire ».

Allergies. Les chiens souffrant d'allergies se grattent plus qu'ils ne reniflent, mais leur nez peut aussi se mettre à couler. « Toute allergie est susceptible de provoquer des écoulements, mais il s'agit en général d'une allergie inhalante, c'est-à-dire résultant de la respiration des pollens, des moisissures ou de la

Les chiens souffrants d'allergies ont des démangeaisons de la peau, mais il arrive aussi que leur nez coule.

poussière présents dans l'air » dit Lowell Ackerman, vétérinaire et dermatologue. « Comme pour les écoulements consécutifs à des infections virales, ceux que des allergies ont provoqués sont clairs et aqueux ».

Obstructions. Les naseaux d'un chien sont capables de générer une puissance d'aspiration suffisante pour absorber des brindilles ou même de petits cailloux. Une fois qu'un corps étranger s'est logé dans ses naseaux, il peut provoquer un écoulement clair mais abondant. En général, les chiens arrivent à s'en libérer en éternuant et en secouant la tête. Mais les objets qui subsistent entraîneront une irritation des fosses nasales, et peut-être une infection.

Vaisseaux sanguins endommagés. Les vaisseaux sanguins qui irriguent les fosses nasales sont très petits et délicats ; un ou deux éternuements énergiques suffisent à les faire éclater. Un écoulement nasal teinté de sang n'est en général pas dangereux s'il ne se prolonge pas au-delà d'un jour ou deux. Dans le cas contraire, appelez votre vétérinaire, pour éviter que la truffe ne soit meurtrie et pour vous assurer qu'une tumeur n'est pas responsable du saignement.

Faire au mieux

Protégez leur truffe. « La plupart du temps, un écoulement nasal n'est pas grave, mais s'il est persistant il risque d'irriter la peau délicate du naseau » dit James Tilley, vétérinaire. Il recommande d'essuyer la truffe de temps en temps avec un chiffon humide et tiède, puis d'appliquer un lait hydratant, pour humain, afin que la peau reste lubrifiée. Il est évident que la majorité des chiens s'empresseront de se lécher ; c'est à vous de le distraire, ou de l'occuper jusqu'à ce que le produit ait pénétré dans la peau.

AU SECOURS !

La maladie des jeunes chiens n'est plus très fréquente, grâce à la vaccination, mais les victimes de cette dangereuse infection virale sont toujours très malades, et parfois ne s'en remettent pas. Un des signes précurseurs, est un écoulement épais, jaune et grisâtre, au coin des naseaux et des yeux. Appelez aussitôt votre vétérinaire dès ce symptôme – ou chaque fois qu'un écoulement est épais ou décoloré.

Enrayez les symptômes allergiques. « Les vétérinaires recommandent souvent de traiter les allergies avec des antihistaminiques, délivrés sans ordonnance, comme le Benadryl » dit le docteur Ackerman. Ces médicaments sont rapidement efficaces, et sans danger pour les chiens pendant toute la saison que durent leurs allergies. La dose habituelle est d'un à trois milligrammes par livre de poids, bien qu'il soit préférable de demander des précisions à votre vétérinaire.

Examinez sa truffe. Une manière rapide de s'assurer que quelque chose bloque un conduit nasal, c'est de placer un petit miroir devant les narines. S'il s'embrume d'un côté et pas de l'autre, vous aurez une quasi-certitude que l'une d'elles est bouchée. La plupart des obstructions nasales se situent près de l'extérieur, et une lampe de poche vous aidera à faire des découvertes. On peut toujours essayer de retirer le corps étranger avec une pince à épiler à bouts ronds, mais la plupart des chiens ne se laisseront pas faire, tandis que votre vétérinaire en aura pour quelques secondes.

PARTICULARITÉ DE LA RACE

Les Colleys (à droite) et les Carlins n'ont pas nécessairement les naseaux plus encombrés que les autres, mais à cause de la forme particulière de leur museau – long et étroit dans un cas, et court et aplati dans l'autre – même une toute petite gêne nasale suffit à les rendre très mal à l'aise.

115

Ses coussinets sont craquelés

Les coussinets sont recouverts d'une peau épaisse et résistante, qui absorbe les chocs chaque fois que les pattes touchent le sol. Ils sont destinés à être efficaces tout au long de la vie des chiens, mais chez ceux qui courent beaucoup sur des surfaces dures, la peau risque de s'épaissir et de former des cals. Ces durillons sont coriaces et peu flexibles ; ils se dessèchent facilement, au risque de provoquer de douloureuses craquelures. « La plupart du temps les craquelures sont le résultat de l'usure ; elles peuvent aussi résulter de problèmes internes » dit John Angus, vétérinaire.

Les soupçons habituels

Allergies. Le rhume des foins, et parfois les allergies alimentaires sont causes de démangeaisons intenses. Les chiens y répondront en se mordant et en se léchant les pattes ; la friction et l'humidité qui en résultent fatigueront la peau, et les coussinets deviendront épais et douloureux. La peau s'affaiblira encore plus, et des craquelures se formeront.

Carence en zinc. « Les races arctiques, comme les chiens de traîneaux d'Amérique du Nord, les Huskys de Sibérie, et les Malamutes d'Alaska, manquent souvent de la quantité de zinc dont ils ont besoin » dit Lowell Ackerman, vétérinaire et dermatologue. « La peau a besoin de zinc pour se reconstruire, et s'il y a carence, et que le taux de zinc est insuffisant, les coussinets des pattes risquent de se craqueler » dit-il.

Problèmes du système immunitaire. Les troubles de l'auto-immunité, comme le lupus, entraînent parfois des atteintes de la peau, dont les craquelures.

Faire au mieux

Hydratez les coussinets. La plupart des craquelures des coussinets sont provoquées par la rugosité et la fragilité de la peau. « En appliquant une crème hydratante une ou deux fois par jour pendant plusieurs semaines, la peau s'humidifiera, les craquelures se guériront et le processus sera sans doute enrayé » dit John Daugherty, vétérinaire. Tous les hydratants sont efficaces.

Il faut un certain temps avant que l'hydratant pénètre ; c'est pourquoi vous offrirez peut-être des chaussettes à votre chien pour lui éviter la tentation du léchage ; le docteur Daugherty recommande de placer des boules de coton à leurs extrémités pour former un petit coussin. Enfilez-lui ses chaussettes, et scotchez-les en vous assurant que vous n'empêchez pas la circulation.

Investissez dans des bottes. « En cas de craquelures sévères, des bottes protectrices sont

Une crème hydratante sur les coussinets fendus, adoucira la douleur, et les aidera à cicatriser.

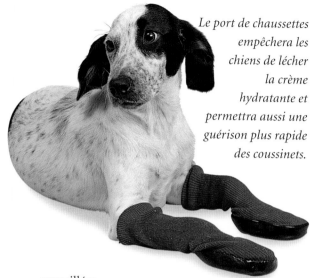

Le port de chaussettes empêchera les chiens de lécher la crème hydratante et permettra aussi une guérison plus rapide des coussinets.

conseillées pour favoriser la guérison » dit le docteur Daugherty. Les boutiques pour animaux de compagnie et les catalogues offrent un grand choix, y compris en ce qui concerne les tailles. Beaucoup de chiens n'accepteront pas cette situation et préféreront les dévorer immédiatement. Les chaussettes sont bien souvent un remède mieux accepté, et plus économique.

Enrayez les démangeaisons. « Puisque les allergies sont très souvent responsables des démangeaisons des coussinets, élucidez avec votre vétérinaire à quoi votre chien est allergique. Les causes précises sont toujours difficiles à déterminer, depuis les spores de moisissures et les pollens, jusqu'aux ingrédients contenus dans les aliments » dit le docteur Ackerman. Peut-être serez-vous obligé de consulter un vétérinaire spécialiste des allergies.

En attendant, de nombreux vétérinaires recommandent de donner aux chiens des antihistaminiques, délivrés sans ordonnance, dont la difénhydramine (Benadryl). La dose habituelle est de un à trois milligrammes par livre de poids, mais précisez cela avec votre vétérinaire. Les antihistaminiques ont un effet très rapide, et calmeront la démangeaison pendant quelques jours.

Nettoyez soigneusement les coussinets. Les chiens marchent n'importe où, et les bactéries ont bien vite fait d'envahir les coussinets. Pour parer aux infections, les vétérinaires conseillent de baigner les coussinets dans une solution composée d'une cuiller à soupe de 2 % de chlorhexidine (disponible en pharmacie), mélangée à un litre d'eau. Baignez la patte pendant 15 minutes chaque jour. Si votre chien n'a pas envie de passer tout ce temps avec la patte dans un seau, imbibez un chiffon avec cette solution et appuyez-la doucement sur ses coussinets pendant 10 minutes quotidiennement.

Laissez-les reposer. Il faut souvent attendre assez longtemps pour que les coussinets arrivent à cicatriser, à cause de la friction occasionnée par la marche. Les chiens n'ont pas pour habitude de rester au lit en regardant la télévision, mais vous pouvez adoucir leurs maux en les promenant sur une pelouse jusqu'à ce que les coussinets soient en parfait état.

BLESSURE OU MALADIE ?

La plupart des craquelures des coussinets résultent de la combinaison d'une sécheresse de la peau et d'une usure quotidienne – à cause de leur frottement sur le béton ou d'autres surfaces rugueuses, par exemple. Une manière de s'informer sur leur présence, c'est de contrôler si les quatre pattes sont atteintes. Une craquelure sur une seule signalera sans doute une blessure. Mais si tous les coussinets sont endoloris, le problème sera peut-être interne.

Halètement

Les chiens ont quelques glandes sudoripares à l'extrémité de leurs pattes, mais c'est bien peu pour les protéger de la chaleur. À part plonger dans l'eau, leur seule chance de maintenir leur température égale, c'est le halètement. « S'ils ne pouvaient pas haleter ils tomberaient tout simplement de chaleur » dit C. Dave Richard, vétérinaire. « Après avoir pris de l'exercice, ou par temps chaud, le halètement est tout à fait normal. Mais s'ils halètent quand il fait frais, ou au repos et détendus, il se passe quelque chose qui cause une chaleur anormale » explique John Daugherty, vétérinaire.

Les soupçons habituels

Anxiété. Si vous voulez voir beaucoup de chiens haletant ensemble, contemplez le spectacle

Les chiens qui aiment l'eau n'hésitent pas à se rafraîchir dans le ruisseau ou l'étang le plus proche.

de la salle d'attente d'un vétérinaire. Tout comme les gens qui respirent un peu plus vite quand ils sont anxieux, les chiens font de même, et jusqu'à ce qu'ils soient soulagés.

Anémie. Provoquée la plupart du temps par une perte de sang – à cause d'une infestation par les puces ou autres parasites – par exemple, l'anémie est un état dans lequel les globules rouges ne sont pas assez nombreux ou ne véhiculent pas assez d'oxygène. Les chiens anémiés respirent plus rapidement de manière à accélérer le taux d'oxygène pénétrant dans leur sang et se répartissant dans toutes les cellules de leur corps.

Fièvre. La température d'un chien varie entre 37° et 38° 5. Les chiens souffrant d'une température supérieure halètent par compensation. « La fièvre est rarement dangereuse chez eux, et elle disparaîtra en même temps que la maladie sous-jacente. Mais si elle augmente, appelez votre vétérinaire » dit Karen Mateyak, vétérinaire.

Maladie thyroïdienne. La glande thyroïde à été surnommée le changement de vitesse du corps. En effet, elle régule le fonctionnement du métabolisme. Les chiens chez qui cette glande est trop active, état dénommé hyperthyroïdie, vivent à pleins gaz en permanence, et sont obligés de haleter pour se rafraîchir.

Faire au mieux

Faites baisser leur fièvre. Les chiens souffrant d'infections virales, ou d'autres maladies, ont souvent la fièvre pendant plusieurs jours ; ils ont trop chaud et sont malheureux. « Aidez la Nature en

Une serviette de toilette trempée dans l'eau fraîche, tordue, et appliquée sur le ventre de votre chien, favorisera une baisse de la température.

appliquant une serviette humide et fraîche sur le ventre de votre chien plusieurs fois par jour » dit le docteur Mateyak. Et ceux qui aiment l'eau apprécieront encore plus qu'on leur offre pendant quelques minutes un bain ou un grand baquet bien rempli. Il ne faut pas qu'ils prennent froid, mais qu'ils se rafraîchissent.

Faites le test de la gencive. « La plupart des chiens ont des gencives rose bonbon. Chez ceux qui souffrent d'anémie elles sont en général pâles ou même blanches, parce qu'une quantité insuffisante de sang ne peut plus garantir leur couleur, dit Knox Inman » vétérinaire. Si vous n'êtes pas sûr de la couleur habituelle de ses gencives, voici un autre test : appuyez sur la gencive avec votre doigt. L'endroit devrait normalement pâlir. Si cela n'est pas le cas au bout de quelques secondes, vous pouvez conclure à l'anémie.

Éliminez les parasites. Les puces sont capables de priver un chien d'une énorme quantité de sang, et très vite. Chez les chiots tout particulièrement, une infestation de puces provoque toujours

une perte de sang considérable. Si votre chien s'est mis à haleter, et que vous ayez découvert des traces de puces sur son ventre – ou des puces vivantes sur son pelage ou le tapis – demandez à votre vétérinaire les meilleurs produits antiparasites. Ou bien lavez votre chien avec un shampooing antipuces, à base de pyréthrines, disponible dans les boutiques spécialisées pour animaux de compagnie.

AU SECOURS !

Mis à part les maladies internes comme les affections thyroïdiennes, l'un des états les plus fréquents – et les plus dangereux – et provoquant un halètement très fort, c'est le coup de chaleur, qui peut faire monter la température jusqu'à plus de 39°. L'abandon d'un chien dans une voiture par temps chaud est une cause fréquente de coups de chaleur. Les chiens qui en sont atteints halètent lourdement et sont très vite épuisés. D'autres symptômes sont la bave, des yeux vitreux, et des gencives rouge foncé. « Le coup de chaleur est une urgence, et il faut immédiatement transporter votre chien chez un vétérinaire » dit John Daugherty, vétérinaire. Si c'est possible, essayez de faire descendre sa température en le couvrant de serviettes humides, et en l'enveloppant ensuite dans un grand sac plastique rempli de glaçons. Ou plongez-le dans un bain froid, avec une compresse fraîche sur la tête.

« Prenez sa température toutes les 5 à 10 minutes. Une fois qu'elle sera descendue à environ 38°, vous pouvez arrêter ce traitement, et le laisser se reposer jusqu'à votre visite chez le vétérinaire ».

Il se traîne sur son arrière-train

Il vous arrivera de surprendre des chiens qui tout à coup s'arrêtent, s'asseyent et se traînent sur leur arrière-train. Puis ils se relèvent, font quelques pas et recommencent.

Cette attitude paraît plutôt ridicule, mais elle est très utile. « La plupart du temps, un animal se traîne pour essayer de se libérer d'une démangeaison » dit Terri Mc Ginnis, vétérinaire.

Les soupçons habituels

Glandes anales bloquées. De chaque côté de l'anus, à l'intérieur du corps et donc invisibles, se trouvent deux petites poches qui contiennent un liquide qui sent très fort. Ce liquide – qui est particulier à chaque chien, tout comme les empreintes digitales le sont par rapport aux humains – est sécrété chaque fois que le chien a un mouvement d'entrailles (et si les chiens se reniflent l'arrière-train, c'est pour s'informer de la nature de ce liquide, et se renseigner sur le sexe, l'âge, et l'état de santé de l'autre).

« Cependant, quand l'une des petites ouvertures qui conduisent à ces poches est bloquée – soit parce que ces orifices sont dès l'origine petits, ou parce qu'une infection a épaissi la teneur du liquide – l'évacuation n'est plus aussi facile et il y aura une enflure et une gêne » dit le docteur McGinnis. Les chiens âgés et peu actifs ont tendance à plus souffrir de ce genre de problème que les jeunes, parce que les muscles qui entourent leur rectum sont moins forts, ce qui signifie que les évacuations spontanées deviennent rares.

Vers. « Les chiens ont souvent des vers, surtout lorsqu'ils restent longtemps à l'extérieur, et là où d'autres sont passés. Les ténias vivent dans l'intestin, mais il leur arrive de se déplacer en direction de l'anus, dont ils irritent la peau. Ils sont faciles à détecter ; il suffit de regarder sous la queue du chien » dit Lori A. Wise, vétérinaire. Les ténias ressemblent à des grains de riz, et ils se déposent soit dans la peau autour de l'anus, soit dans les poils qui l'entourent. On trouve aussi des segments de vers dans les selles.

AU SECOURS !

Les glandes anales encombrées sont inconfortables, mais elles sont rarement à l'origine de problèmes graves, à moins que l'une des deux ne soit infectée. Dans ce cas, il faut redouter un abcès douloureux et potentiellement dangereux. Si la région anale semble rouge et enflée, ou s'il y a du pus et que votre chien crie en se traînant sur son arrière-train, consultez immédiatement votre vétérinaire. L'infection des glandes anales n'est cependant pas très fréquente. La plupart du temps il suffit de les vider, ce qui soulagera la pression intérieure, et votre chien arrêtera de se traîner. Vous pouvez intervenir vous-même, et en quelques secondes, à condition d'avoir l'estomac bien accroché. La plupart des gens préfèrent recourir à leur vétérinaire.

Irritation. « Les chiens ne sont pas très vigilants quant à ce qu'ils choisissent de manger ; ils réduisent volontiers en miettes des os ou des bâtons. Tandis que ces fragments passent aisément dans l'intestin, ils risquent de rester bloqués dans le rectum, dernière section de l'intestin. Et le chien se traînera pour remédier à son irritation » dit Dan Carey.

« Les démangeaisons disparaissent en général rapidement, à moins que le corps étranger ne soit arrêté dans le rectum. Dans ce cas, n'essayez pas de résoudre le problème vous-même, car vous risquez d'endommager des tissus délicats » dit le docteur Carey. Demandez l'avis de votre vétérinaire.

Faire au mieux

Éliminez les vers. Les ténias sont un parasite très fréquent. Bien qu'on puisse les éliminer très facilement grâce à des médicaments disponibles chez les vétérinaires et dans les boutiques spécialisées, ils reviennent souvent à cause du nombre de lieux où ils réussissent à se loger.

« En ôtant tous les jours les selles se trouvant dans votre jardin, vous permettrez à votre chien de ne pas se réinfecter » dit le docteur Wise. De plus, si les chiens passent beaucoup de temps dehors, il faut les décourager de fouiller dans les poubelles, et de croquer des oiseaux et des rongeurs qui bien souvent abritent des ténias.

Chassez les puces. « La plupart des chiens attrapent des ténias par l'intermédiaire des puces. Si vous éliminez ces dernières, les vers disparaîtront en même temps » dit Lila Miller.

La plupart des chiens aiment ronger des bâtons mais, s'ils avalent une écharde, elle peut se loger dans le rectum et provoquer une irritation. Dans ce cas, ils se traînent sur leur arrière-train pour soulager la douleur.

Jusqu'à récemment, le seul traitement contre les puces consistait à laver les chiens avec un shampooing traitant, ou à vaporiser une poudre contenant des insecticides. La plupart des vétérinaires recommandent aujourd'hui de se débarrasser des puces grâce à des médicaments absorbés par voie orale, comme Program, ou des liquides dernier cri comme Frontline. Ces produits sont sans danger pour les chiens ; soit ils tueront les puces sur-le-champ, soit ils interromprent les cycles de leur vie, et les empêcheront donc de se multiplier.

Il se gratte, se mord ou se lèche

On a l'impression que les chiens n'arrêtent pas de se gratter. Les vétérinaires ne connaissent pas très bien les causes de ces démangeaisons, bien que leur peau semble particulièrement sensible. Des situations qui ne préoccupent pas beaucoup les gens, comme une des piqûres d'insectes occasionnelles, peuvent provoquer des mouvements incessants des pattes postérieures.

Une petite démangeaison n'est pas grave, mais certains chiens continueront à se gratter, et la peau ne tardera pas à être douloureuse, irritée, et parfois à s'infecter.

Les soupçons habituels

Puces. « Beaucoup de chiens sont allergiques aux puces – état que les vétérinaires appellent dermite allergique aux puces. Quand elles piquent,

elles injectent un peu de salive sous la peau » dit Bill Martin, vétérinaire. Ceci peut déclencher un flot d'histamine, substance chimique qui occasionne des démangeaisons, les yeux qui pleurent et d'autres symptômes allergiques. Il suffit de quelques piqûres pour provoquer cette réaction. Chez les chiens souffrant de cette allergie, une seule piqûre peut le pousser à se gratter pendant une semaine.

Les allergies aux puces sont les plus virulentes à la fin du printemps et en été, quand elles le sont aussi. Et une fois qu'un chien a commencé à se gratter, il aura de plus en plus de démangeaisons, même après l'élimination des parasites.

C'est sur le ventre qu'on les voit le plus facilement, puisque le pelage y est moins abondant. De plus, on trouve des traces de leur passage dans les poils. Les démangeaisons se concentrent en général sur la moitié postérieure du dos du chien, surtout autour de la croupe, près de la base de la queue.

Acariens. Une autre cause de démangeaisons est provoquée par les acariens sarcoptiques, ou gale. Les acariens sont hautement contagieux, et circulent très vite d'un chien à l'autre. En plus de démangeaisons, les chiens montrent souvent d'autres symptômes, comme des zones de peau rougies, couvertes de croûtes, et sans poils. Les démangeaisons se concentrent plutôt sur le poitrail, le ventre, les pattes et le bord des oreilles. Vous trouverez les médicaments appropriés dans les boutiques spécialisées.

Allergies. Les chiens atteints d'allergies ont en général des réactions cutanées. Il existe vraiment des centaines d'éléments auxquels ils peuvent être

PARTICULARITÉ DE LA RACE

Les chiens au pelage clair et à la peau pâle, comme les Cockers spaniels blonds et les West Highland white terriers (à gauche), sont plus sensibles aux problèmes de peau que ceux qui ont des couleurs plus foncées. Les Setters irlandais sont aussi enclins aux allergies.

allergiques, mais on a choisi de les regrouper en trois catégories principales.

• Les allergies alimentaires se manifestent en général quand les chiens ont une réaction à une ou plusieurs protéines contenues dans leur nourriture (occasionnellement, des allergies résultent d'adjonctions aux aliments, comme les colorants ou les conservateurs). Les sources de protéines, dont le bœuf, le porc, le soja, le maïs, sont aussi souvent responsables de ce genre de trouble. Les vétérinaires ne savent pas bien pourquoi, mais il arrive que des chiens ayant mangé la même chose pendant des années deviennent tout à coup allergiques à l'un des ingrédients.

• Les allergies inhalantes, comme le rhume des foins, se manifestent quand les chiens respirent des substances auxquelles ils sont allergiques, dont le pollen, la poussière, ou des moisissures. Ces désordres sont saisonniers, donc les démangeaisons seront pires au printemps et en été que pendant les mois froids. Mais les chiens allergiques à la poussière se gratteront toute l'année. Une forme sévère de rhume des foins, appelée atopie, peut atteindre les chiens particulièrement sensibles aux pollens ou aux particules présentes dans l'air. L'atopie provoque des démangeaisons violentes, les chiens se grattant le visage, les aisselles, et se léchant et se mordant les pattes.

• Les allergies au contact ont lieu quand les chiens deviennent hypersensibles à des choses avec lesquelles ils entrent en contact. Certains ont des réactions cutanées quand ils se roulent sur l'herbe. D'autres réagissent à des substances chimiques présentent dans les produits de nettoyage des tapis.

Faire au mieux

Éliminez les puces. Il est très difficile de s'en débarrasser, pour la simple raison qu'elles sont incroyablement prolifiques. Quelques puces peuvent produire des centaines de milliers de rejetons en quelques mois. Qui plus est, pour une puce que vous voyez sur votre chien, il peut y en avoir des centaines dans votre jardin, vos tapis, et sa literie. Pour les éliminer, il faut les attaquer là où elles vivent.

« La plupart des vétérinaires recommandent des médicaments comme Frontline ou Advantage, qui tuent directement les puces, ou empêchent leurs œufs d'arriver à maturité »

Beaucoup de chiens sont allergiques à l'herbe. Ils se rouleront dans l'herbe, et les démangeaisons empireront.

dit Bernadine Cruz, vétérinaire. Si vous ne souhaitez pas utiliser ces remèdes, vous pouvez éliminer la majorité des puces en lavant votre chien avec un shampooing antiparasites ; elles s'évacueront dans le tuyau d'écoulement. Ceci n'a de sens que si vous aspirez et nettoyez votre maison de fond en combles. À défaut, les puces à leurs divers stades de développement dans les tapis et sous les plinthes ne tarderont pas à reprendre le dessus.

Protégez leur peau. « Si vous soupçonnez votre chien d'être allergique à quelque chose avec quoi il entrera en contact, mais dont vous n'êtes pas très sûr, vous pouvez lui offrir une protection à court terme en utilisant une crème préventive pour les mains, à base d'aloès, avec laquelle vous le frotterez » dit le docteur Martin. Une lotion calmante à la calamine fera aussi l'affaire, bien qu'elle soit peut pratique à appliquer.

Contrôlez ce qu'il respire. « Il est difficile de protéger un chien contre le rhume des foins, parce que les particules de moisissure, de pollen et de poussière sont presque impossibles à éviter. La seule chose qu'il vous reste à faire, c'est de le garder au maximum à la maison pendant la saison que dure son allergie, ou du moins aux heures de grand vent » dit le docteur Cruz. « L'installation d'un filtre à air permet de débarrasser l'air de la poussière et du pollen » ajoute-t-elle. Certains vétérinaires recommandent de donner des antihistaminiques comme le Benadryl aux chiens souffrant de cette pathologie. Mais la dose étant différente pour chacun, demandez son avis à votre vétérinaire.

Veillez aux allergies alimentaires. De toutes les allergies qui causent de l'irritation de la peau, les allergies alimentaires sont parmi les plus difficiles à identifier, parce que les nourritures commercialisées contiennent des quantités d'in-

AU SECOURS !

Une fois qu'un chien a pris l'habitude de se gratter, de se mordre, ou de se lécher, ce sera peut-être difficile de l'empêcher de continuer. « L'humidité et la friction constantes abîment la peau et favorisent l'installation d'infections douloureuses et difficiles à traiter » dit Bill Martin, vétérinaire.

« Faites examiner votre chien suffisamment tôt pour que l'on puisse contrôler la situation et empêcher qu'il ne se blesse encore plus » ajoute-t-il. S'il se gratte quelques minutes tous les jours, c'est sans doute normal. Mais s'il répète cette opération plus abondamment et pendant une semaine d'affilée, consultez un professionnel.

grédients. Votre vétérinaire vous recommandera peut-être de faire suivre à votre chien un régime d'élimination ; il ne consommera temporairement aucun des éléments se trouvant dans ses repas habituels. S'il cesse d'avoir des démangeaisons et de se gratter, la preuve sera faite qu'une allergie alimentaire était responsable de ses maux.

« L'étape suivante » dit le docteur Cruz « consiste à réintroduire progressivement les ingrédients, l'un après l'autre, pour voir lequel déclenchera la maladie. Une fois que vous le saurez, vous soulagerez ses symptômes en achetant les aliments qui ne contiennent pas d'élément responsable. »

Les régimes d'élimination doivent parfois durer des mois ; il faut donc travailler en coordination avec votre vétérinaire pour vous assurer que pendant cette période votre chien est quand même nourri de manière équilibrée.

Il a des crises

Ce qu'il y a de remarquable dans les crises, c'est qu'elles ne causent aucun inconfort aux chiens. Qu'elles provoquent un léger tremblement et un peu de confusion, ou qu'elles soient violentes, le chien reste parfaitement inconscient. « Être témoin d'une crise est beaucoup plus pénible pour vous que pour eux » dit Agnes Rupley, vétérinaire. « Ils n'ont aucune idée de ce qui se passe. » Les crises sont provoquées par un éclair d'activité électrique anormale dans le cerveau. Il est peu probable qu'elles causent des ravages, du moment qu'elles ne se prolongent pas. En fait, dans bien des cas, le chien peut avoir une crise sans que l'on s'en rende compte. Mais que les crises soient bénignes ou graves, les conditions sous-jacentes sont toujours potentiellement sérieuses.

Les soupçons habituels

Épilepsie. « Chez les chiens de moins de quatre ans, les crises sont généralement consécutives à un état appelé épilepsie idiopathique, qui signifie que la cause reste inconnue » dit Mike Herrington, vétérinaire et neurologue. « Quand la première crise a lieu au-delà de quatre ans, alors une infection, une inflammation, ou des tumeurs sont plus vraisemblablement responsables » dit le docteur Herrington.

Taux de sucre trop bas. « Les chiens qui sont jeunes, minces, ou petits ont parfois des taux de sucre dans le sang qui sont trop bas, et qui provoquent les crises » dit Taylor Wallace, vétérinaire. « Même les solides chiens de chasse à courre risquent d'avoir des crises à cause d'un manque de sucre dans le sang, après une activité intense et prolongée » ajoute-t-elle.

Taux de calcium trop bas. « Il arrive que des chiennes qui allaitent aient des taux de calcium trop bas, parce que leurs chiots vivent de leurs réserves. D'où des crises » dit le docteur Wallace.

Empoisonnements. Les chiens qui ont été exposés à des poisons – n'importe quoi depuis un appât pour les escargots, les limaces ou les rongeurs, jusqu'à une infestation de puces ou de tiques – risquent d'avoir des crises. Et

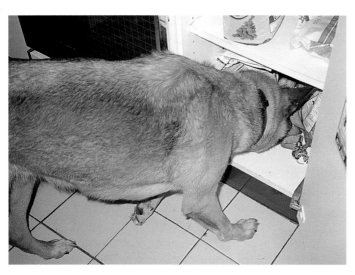

Les chiens adorent explorer les placards ouverts, mais certains produits d'entretien, et chimiques, peuvent leur provoquer des crises s'ils les avalent.

125

tout accident qui endommage le cerveau peut aussi en provoquer. Certains chiens ont des crises pendant plusieurs jours ou des semaines après un accident, et n'en auront plus jamais par la suite. D'autres en souffriront pendant toute leur vie.

Faire au mieux

Laissez venir. Une fois qu'une crise a commencé, la seule chose que vous puissiez faire c'est rester là à attendre, pour vous assurer que votre chien ne va pas renverser quelque chose ou dégringoler dans les escaliers. « Un chien qui a une crise n'est pas un danger pour lui-même, mais son environnement peut faire qu'il se blesse » dit le docteur Herrington « qui recommande de le déplacer tout de suite dans un endroit dégagé pour éviter qu'il ne se cogne ou ne fasse tomber des objets sur lui. S'il est près d'un pont ou d'un escalier, essayez de bloquer son chemin en vous plaçant en travers ».

Ne le touchez pas. « Quand un chien est en pleine crise, il peut lui arriver de montrer les dents ou de lancer ses pattes à droite et à gauche » dit le docteur Herrington. « Cela ne sert à rien d'essayer de l'arrêter ou de le prendre ; vous risquez au contraire d'être blessé » dit-il à titre d'avertissement.

AU SECOURS !

Même les gens qui veillent à ce que leur chien n'aille pas dans le garage ou dans les endroits où se trouvent des produits dangereux, oubliant très facilement l'une des pires toxines : le plomb. « Les empoisonnements au plomb peuvent déclencher des crises même chez les chiens en excellente santé » dit Taylor Wallace, vétérinaire. « Parce que les chiens rongent n'importe quoi, il faut connaître les principales sources d'empoisonnement au plomb, dont les revêtements de sol en vinyle, les plombs pour la pêche à la ligne, le calfatage, la bourre des tapis, la peinture et les balles de golf ».

Envisagez un régime. Les chiens qui ont des problèmes de taux de sucre dans le sang sont moins susceptibles d'avoir des crises s'ils consomment plusieurs fois par jour une alimentation riche en protéines. Un taux de calcium bas est une situation peut fréquente, car les aliments pour chiens en sont riches. Cependant, si une chienne allaite, le vétérinaire recommandera peut-être un supplément vitaminé pour que son taux de calcium reste suffisamment élevé.

Enregistrez les crises. Si vous arrivez à ne pas trembler, une bonne idée est d'enregistrer sur une vidéo le déroulement de la crise ; les images aideront sans doute votre vétérinaire à identifier les causes de cet état.

« Vous serez sans doute surpris de la brièveté de la crise » ajoute le docteur Wallace. « Une crise qui dure 30 secondes paraît se poursuivre pendant une heure. »

PARTICULARITÉ DE LA RACE

Les vétérinaires ne savent pas bien pourquoi, mais les Bergers allemands, les Labradors, les Welsh springers spaniels (à droite), et les Springers spaniels anglais sont plus susceptibles de souffrir d'épilepsie que d'autres races.

Insomnie

Les chiens ont une philosophie très simple : « Quand on n'a rien d'autre à faire, on dort. » Et ils l'assument très bien. La quantité de sommeil dont un chien a besoin est fonction de son activité. « Un chien de berger peut facilement faire 90 km en travaillant avec un fermier, puis manger, et dormir jusqu'au moment où il doit se remettre à l'ouvrage. Par comparaison, le chien moyen mène une vie sédentaire, et dort quand même parfois 18 heures par jour » dit Joe Betterweck, vétérinaire.

« Les bruits, mêmes familiers – depuis les grattements d'une souris dans un trou de mur jusqu'à la présence tardive d'invités – maintiennent les chiens éveillés, l'insomnie n'existant d'habitude qu'en cas de maladie » dit le docteur Betterweck.

Les soupçons habituels

Allergies. Les chiens peuvent être allergiques à de nombreux éléments, dont les aliments, les plantes ou bien la poussière, les moisissures et les pollens véhiculés dans l'air. Certaines allergies provoquent des problèmes digestifs. Plus fréquemment, elles se manifestent par des démangeaisons violentes, et ils peuvent passer des heures à marcher, à gémir et à se frotter la tête par terre. « Au début d'une réaction allergique, ils se roulent beaucoup, sont agités et incapables de dormir » dit Ron Grier, professeur de sciences cliniques vétérinaires.

Vers et puces. « De même que les chiens allergiques ont des démangeaisons, ceux qui ont des vers ou autres parasites en souffrent aussi. Elles sont localisées à l'arrière-train. Ils ne dormiront pas pour pouvoir se gratter, le plus souvent en se traînant par terre » dit le docteur Grier. Les puces sont parfois un problème grave, d'autant plus que de nombreux chiens sont allergiques à leurs piqûres, et elles les dérangent à tel point qu'ils en perdent le sommeil.

Pas assez d'exercice. Un chien qui a suffisamment d'activités est un chien fatigué. Inversement, celui qui passe la journée enfermé à la maison ne consomme pas

Les chiens qui prennent beaucoup d'exercice dorment en général beaucoup plus profondément que leurs congénères sédentaires.

d'énergie et risque d'être trop agité pour dormir le soir.

Douleurs. « Beaucoup de chiens âgés souffrent d'arthrite et ont du mal à trouver une position confortable pour se reposer » dit le docteur Grier. « En fait, n'importe quelle situation pénible suffit à les priver de sommeil » ajoute-t-il.

Vessie pleine. Les chiens n'arrivent pas à dormir s'ils doivent sans cesse répondre aux appels de la Nature. C'est souvent le cas des chiens âgés qui ont des problèmes de contrôle de la vessie.

« De plus, l'un des signes indicatifs de diabètes et de maladies de la vessie est un fréquent besoin d'uriner, ce qui accroît les occasions d'interrompre le sommeil » dit le docteur Grier.

Il faut absolument consulter un vétérinaire si un chien a soudain besoin d'uriner plus souvent que d'habitude. S'il se trouve qu'il a tout simplement une petite vessie, ou atteint un âge où il lui faut fréquemment souvent, la seule manière de l'aider c'est de le promener juste avant son coucher. On peut aussi limiter à une ou deux tasses sa ration d'eau du soir.

Faire au mieux

Débarrassez-le des puces. Ces petits parasites qui sucent le sang sont bien connus pour résister à leur destruction. Ce sont des reproducteurs prolifiques, et même quand on arrive à éliminer les puces adultes, cela n'empêche pas qu'il reste des milliers de rejetons à divers stades de leur développement, et ils attendent leur tour. Il est conseillé de baigner les chiens au bout de quelques semaines, de préférence avec un shampooing anti-parasites. On peut aussi les brosser et utiliser un spray de produits délivrés sans ordonnance.

AU SECOURS !

On n'en connaît pas les causes précises, mais il existe une pathologie appelée torsion de l'estomac, dans laquelle ce dernier se remplit d'air tout à coup, et rend les chiens mal à l'aise et agités. Dans ce cas ils halètent abondamment, au prix de gros efforts. Surtout fréquente chez les grandes races au large poitrail, comme les Bullmastiffs (ci-dessous), les Danois et les Saint-Bernard, la torsion de l'estomac provoque une distension de cet organe qui risque d'appuyer sur de gros vaisseaux sanguins dans la région de l'estomac. « On peut en général identifier cette torsion car l'abdomen est anormalement tendu et enflé. Ce cas est toujours une urgence » dit Susan Vargas, vétérinaire.

« Emmenez votre chien chez le vétérinaire au plus vite » conseille-t-elle.

Pour un traitement à long terme, les experts recommandent d'employer Frontline, que l'on trouve dans les boutiques spécialisées et chez les vétérinaires. « Appliqué à la base du cou, le chien ne peut pas le lécher, et son effet se prolongera au-delà d'un mois » dit Bernadine Cruz, vétérinaire. Bien que Frontline tue les puces adultes, il reste sans effet sur celles qui sont à d'autres stades de leur développement. Pour obtenir de meilleurs résultats, le docteur Cruz recommande de combiner ce produit avec une pilule mensuelle, Program, qui circule dans le sang. « Quand les puces adultes piquent, ce médicament pénétrant dans leur corps empêchera leurs œufs d'éclore » explique-t-elle.

Éliminez les parasites. « Les vers et autres parasites se développent dans les cours et même dans les tapis et la literie. En passant l'aspirateur et en lavant le coussin du chien une fois par semaine à l'eau chaude, on arrive à éliminer les parasites. Il est aussi indispensable de faire disparaître les selles se trouvant dans le jardin » dit le docteur Cruz. « De nombreux parasites y vivent, et les chiens se réinfectent à leur contact » explique-t-elle.

Une fois que votre chien est infesté de vers ou d'autres parasites, il faut lui donner les médicaments appropriés. Des produits délivrés sans ordonnance sont très efficaces, mais seulement si vous savez de quels parasites il s'agit. C'est souvent plus simple de prélever un échantillon de selles et de le remettre à votre vétérinaire pour analyse. « Quand vous serez sûr de la nature de la cause, vous agirez comme il convient ; et vous et votre compagnon dormirez mieux » dit le docteur Cruz.

Un environnement propre. « Si vous passez l'aspirateur et dépoussiérez la maison, si vous remplacez les filtres à air tous les mois, et si vous utilisez un humidificateur, vous débarrasserez l'air de la poussière, des moisissures et des autres particules qu'il transporte, et qui sont causes d'allergies » dit le docteur Betterweck.

Soignez la douleur. Les chiens qui souffrent ne peuvent pas dormir. Il faut donc essayer de les aider. « En cas d'arthrite, massez doucement les

Faites bouger doucement les membres des chiens qui souffrent d'arthrite une fois par jour, pour prévenir les douleurs qui pourraient perturber leur sommeil.

articulations douloureuses, et faites bouger la patte de toute l'ampleur de son mouvement, pendant quelques minutes une fois par jour » dit le docteur Grier. De la sorte, le sang circulera mieux, et les muscles et les articulations y gagneront en souplesse.

L'aspirine aide à réduire l'inflammation ainsi que la douleur, et c'est l'un des meilleurs remèdes disponibles contre l'arthrite. Le docteur Grier recommande de donner aux chiens le quart d'un comprimé de 325 milligrammes par 5 kg de poids, une fois par jour.

L'application sur la peau d'une bouillotte tiède, enveloppée dans une serviette, procurera une amélioration rapide dans la majorité des cas. « Assurez-vous aussi que le coussin de votre chien est dans un endroit chaud et à l'abri des courants d'air » ajoute le docteur Grier.

Il ronfle

Il arrive à presque tous les chiens de ronfler de temps à autre, mais les races à museau court, comme les Pékinois, les Bulldogs et les Carlins, risquent d'être les plus fautifs, car la particularité de leur museau peut provoquer des difficultés respiratoires. Le ronflement est rarement le signe de problèmes graves, à moins que le chien n'ait des difficultés à respirer quand il est éveillé. Mais il indique que la santé de votre chien – ou tout simplement ses habitudes alimentaires – pourrait s'améliorer.

Les soupçons habituels

Excédent de poids. Quand les chiens sont plus lourds qu'ils ne le devraient, une couche de graisse supplémentaire se forme sur leur poitrail. « Dans certaines positions, et pendant le sommeil, cet excédent de poids appuie sur les voies respiratoires, et provoque le ronflement » dit Lowell Ackerman, vétérinaire.

Obstructions. Les chiens ronflent souvent quand ils sont enrhumés, à cause d'une accumulation de mucus dans les naseaux et la gorge. Plus sérieusement, le ronflement résulte parfois de polypes ou d'autres excroissances. « Certains chiens ronflent après avoir mangé des herbes comme le vulpin, dont des petits brins sont peut-être restés coincés dans leur gorge » dit Lori Teller, vétérinaire.

Les allergies sont une autre cause d'obstruction. La plupart des chiens qui en souffrent ont des réactions cutanées, mais à peu près 15 % d'entre eux montrent des symp-tômes typiquement humains, comme les éternuements, et le nez et les yeux qui coulent. Cet état provoque une inflammation et une enflure des fosses nasales. « Quand leur nez est bouché, les chiens respirent par la bouche, d'où un ronflement ».

Problème d'âge. « Chez les chiens âgés, les tissus proches des cordes vocales et du larynx perdent une partie de leur tonus musculaire, s'amincissent et se relâchent. Et ces tissus distendus vibrent au passage de l'air »

Allongement du voile du palais. Le voile du palais est la partie très tendre qui s'étend du sommet du palais jusque dans la gorge. Chez les races à museaux courts, comme les Boxers, les Bulldogs et les Carlins, ce voile est un peu trop long et redescend dans les bronches. « Quand ces

Les chiens qui sont plutôt dodus tendent à ronfler plus que ceux qui sont actifs et minces.

chiens respirent, il arrive que le voile du palais soit aspiré par les bronches, et qu'il vibre, provoquant ainsi un ronflement » dit Ron Grier, professeur de sciences cliniques vétérinaires.

Les vétérinaires recommandent parfois une intervention chirurgicale si un allongement du voile du palais engendre des problèmes médicaux. Mais la plupart du temps ils n'y touchent pas – et les chiens continuent de ronfler.

Faire au mieux

Mettez-les au régime. Les chiens lourds risquent beaucoup plus de ronfler que les chiens minces. De toute façon, si vous arrivez à faire perdre du poids à votre chien, ce sera excellent pour sa santé et pour son sommeil. « Diminuez sa ration de 25 %, et faites-lui prendre plus d'exercice » dit le docteur Grier. La plupart des chiens commenceront à mincir en quelques semaines. Dans le cas contraire, supprimez encore un quart de son alimentation. Et s'il résiste, parlez-en à votre vétérinaire pour envisager ensemble un programme d'amaigrissement. Un changement de nourriture n'est pas toujours efficace, mais il arrive que les vétérinaires recommandent de passer à des produits spéciaux pour les régimes. Ces aliments sont plus pauvres en calories que les autres, mais riches en fibres, et votre chien ne souffrira donc pas de la faim.

Éliminez les allergies. Bien que les allergies ne soient pas difficiles à soigner, il est bien souvent problématique d'en détecter la cause. Commencez par éliminer les allergènes les plus communs et pouvant provoquer une inflammation nasale, dont les moisissures, la poussière, et les pollens. En passant l'aspirateur et en dépoussiérant la maison fréquemment, vous supprimerez de nombreuses particules avant qu'elles ne risquent de pénétrer dans l'air.

« Une autre manière de traiter les allergies, c'est d'administrer à votre chien un antihistaminique, délivré sans ordonnance, comme le Benadryl ou Tavist » dit le docteur Teller. Ces médicaments sont efficaces dans 25 à 40 % des cas.

 EN BREF Tout comme les gens, certains chiens s'arrêtent de ronfler s'ils changent de position. Ce qui ne règle pas pour autant le problème de base, mais qui vous permettra de vous reposer un peu. La plupart des chiens aiment dormir en boule, mais si vous donnez la possibilité à votre chien de s'étendre, il respirera mieux, et ronflera moins.

AU SECOURS !

Très souvent, les chiens ont une respiration sifflante et haletante pendant leur sommeil. Si c'est le cas quand ils sont éveillés, il peut s'agir d'une paralysie du larynx, qui est une pathologie dangereuse ; dans cette situation, les muscles entourant l'ouverture du larynx (partie supérieure de la trachée) se paralysent, sans doute à cause d'une inflammation des systèmes nerveux et musculaires. « Ceci n'arrive pas d'un coup, et vous remarquerez un changement dans la voix de votre chien quand il aboie » dit le docteur Ron Grier, professeur de sciences cliniques vétérinaires. « En général, les chiens souffrant de cet état halètent lourdement et se fatiguent très vite » ajoute-t-il. Certains chiens n'auront qu'une ou deux crises de paralysie, et pas plus. Mais chez d'autres la paralysie mettra leur vie en péril, ce pourquoi n'hésitez pas à appeler votre vétérinaire.

Il louche

Quand un chien passe brutalement d'un lieu obscur à une lumière éblouissante, il diminue la fente de ses paupières autant que possible. De plus, le fait de loucher réduit l'intensité du rayonnement pendant le temps d'adaptation à ce changement. Mais si le strabisme se prolonge au-delà d'une seconde ou deux, vous pouvez être sûr qu'autre chose qu'une clarté intense a provoqué une irritation oculaire. « Le strabisme est toujours occasionné par un élément dangereux » dit John Hamil, vétérinaire.

Les soupçons habituels

Débris. « Les yeux sont bien protégés, mais des poussières ou des débris peuvent y pénétrer très facilement ; même des particules infimes sont susceptibles de provoquer de l'irritation » dit Peggy J. Rucker, vétérinaire. « Des débris dans les yeux sont encore plus pénibles pour les chiens que pour les humains. D'abord, les chiens n'ont pas de doigts pour essayer de s'en libérer et, de plus, ils ont une structure anatomique appelée la troisième paupière, qui est fixée à la surface de l'œil. Destinée à protéger les yeux des blessures, cette paupière se charge souvent de particules et les répand à la surface de l'œil, en provoquant des démangeaisons et de l'irritation » explique le docteur Rucker.

Les débris se trouvant dans les yeux partent en général grâce aux larmes mais il arrive que les chiens louchent pendant 12 heures ou plus.

Lésions de la cornée. Les yeux sont recouverts par une couche de cellules, mince et transparente, appelée la cornée. Tout ce qui l'irrite, depuis un grain de poussière jusqu'à une infection bénigne, sera cause d'une douleur vive et de strabisme.

Conjonctivite. Une membrane délicate, appelée la conjonctive, double les surfaces internes des pau-

---

Vision sans vue

HISTOIRE DE CHIEN

La plupart des gens qui voient Bat pour la première fois ne se doutent pas un instant que ce Springer anglais, âgé de 14 ans, est aveugle de naissance. Quand il avait six semaines, on a diagnostiqué un glaucome congénital bilatéral, tare d'origine, qui provoque une pression à l'intérieur des yeux et détruit les cellules de la vision.

Kay Schwink, vétérinaire et ophtalmologue, lui a ôté les yeux et a adopté ce chiot aveugle, sachant qu'il pourrait se fier à son odorat, son ouïe et son toucher pour le guider dans sa nouvelle résidence de 40 hectares. Ces sens, doublés d'une remarquable capacité à mémoriser la maison et le terrain, lui ont permis de vivre une existence active et heureuse, et de faire absolument ce qu'il voulait.

Bat s'acquitte de ses devoirs de chien, aboie pour prévenir que des voitures s'approchent de la maison, et défend ardemment son territoire contre les chiens indésirables et les rongeurs. Il examine assidûment toutes les barrières, la grange et les arbres, comme s'il les voyait. Quand on l'aperçoit bondissant par la porte qui lui est réservée, et se précipiter en courant dans les prés, on n'a aucun doute sur son amour de la vie, et sur la « grande » vision qu'il en a, bien qu'elle soit différente.

PARTICULARITÉ DE LA RACE

Les Terriers de Boston, les Lhassa apsos, les Pékinois, les Carlins et les Shish tzus, ont tous des yeux protubérants, plus ou moins exposés. Ces races risquent de nombreuses atteintes de la vision.

Les chiens aux yeux tombants ont aussi leurs problèmes. Les Bassets hounds, les Limiers et les Cockers spaniels ont un petit repli en forme de poche sous la paupière. Il fonctionne comme une cuve, et recueille les débris provenant des canaux lacrymaux, provoquant parfois de l'irritation.

pières. Elle est sensible aux mêmes problèmes que la cornée, dont les démangeaisons, l'irritation, et l'infection. L'irritation de la conjonctive – appelée conjonctivite, ou yeux rouges – provoque des douleurs, des yeux larmoyants, et fréquemment un strabisme important.

Ulcères de la cornée. Souvent causés par des substances irritantes, comme le savon ou un shampooing trop fort, les ulcères de la cornée sont de petites blessures qui irritent la surface de l'œil. Elles atteignent en général les chiens âgés. « Certaines races, comme les boxers et les Pembroke corgis, ont un risque héréditaire d'en souffrir » dit le docteur Rucker.

Atrophie de l'iris. Une autre pathologie qui affecte souvent les chiens âgés, c'est l'atrophie de l'iris, dans laquelle l'iris – partie colorée de l'œil qui contrôle la quantité de lumière qui y pénètre – commence de se rétrécir. À

mesure qu'il diminue, une lumière trop violente risque de toucher les fibres nerveuses des yeux, et les chiens réduisent cet effet en louchant.

Glaucome. L'une des causes de strabisme les plus dangereuses, c'est le glaucome, qui occasionne un accroissement des liquides et de la tension dans l'œil. On le traite par des médicaments, mais il peut provoquer la cécité s'il n'est pas détecté et soigné suffisamment tôt.

Uvéite antérieure. Cette maladie est aussi responsable d'une tension douloureuse dans l'œil. L'uvéite antérieure résulte de la présence d'infection, de parasites, de tumeurs, de blessures ou de problèmes internes comme une tension sanguine élevée. Elle peut rendre les yeux extrêmement sensibles à la lumière. « Les chiens loucheront pour se protéger de la lumière » dit John Hamil, vétérinaire.

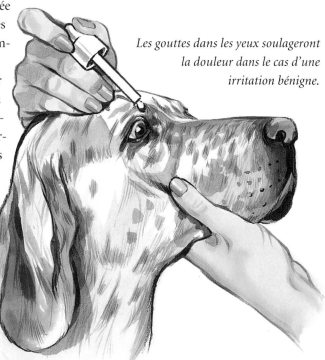

Les gouttes dans les yeux soulageront la douleur dans le cas d'une irritation bénigne.

AU SECOURS !

Puisque les tissus qui tapissent l'intérieur des yeux sont très délicats, les égratignures – provenant souvent de la poussière, et, occasionnellement d'une griffe de chat – sont relativement fréquentes. En général, elles se guérissent toutes seules et en quelques jours. Mais en attendant, elles peuvent rendre les yeux hypersensibles. Et le risque d'infection persiste, dit Peggy J. Rucker, vétérinaire. « Les déchirures de la cornée sont souvent extrêmement sérieuses, » ajoute le docteur Rucker. Les griffures de chat sont parmi les plus graves – non seulement parce qu'elles sont en général profondes, mais aussi parce que les griffes des chats sont riches en bactéries susceptibles de déclencher des infections. Étant donné la grande sensibilité des yeux, toute blessure, rougeur, enflure, ou autre symptôme, nécessite une consultation vétérinaire.

Faire au mieux

Bain d'œil. « Quelle que soit la raison du strabisme de votre chien, cela vaut la peine de lui tamponner les yeux avec du sérum physiologique » dit le docteur Rucker. Cette intervention est déjà sans risques, et elle procurera au moins un peu de répit à votre compagnon, en entraînant peut-être la cause de l'irritation. D'une main, maintenez son œil ouvert, et de l'autre main inondez de sérum la surface de l'œil. « Si votre chien arrive à ne pas refermer son œil pendant quelques minutes après cette opé-

ration, vous aurez sans doute réussi à éliminer la cause du problème » ajoute le docteur Rucker.

Faites un examen attentif. « Si votre chien louche encore après ce bain d'œil, ouvrez ses yeux tout grands, chacun à son tour, et regardez attentivement la partie brune pour voir s'il existe une décoloration ou une inflammation » dit le docteur Rucker. « Dans ce cas, il s'agit d'une urgence » dit-elle.

Protégez-les d'une lumière éblouissante. Quelles qu'elles soient, les blessures de l'œil rendent en général les chiens hypersensibles à une lumière violente. Vous pouvez protéger leurs yeux en leur offrant une visière. Beaucoup de chiens ne s'en accommodent pas ; dans ce cas, mieux vaut garder votre compagnon à la maison pendant les heures les plus ensoleillées de la journée.

Quand les chiens continuent à loucher après un bain d'œil, recherchez la cause de l'irritation.

Raideur

Presque tous les chiens souffrent plus ou moins de raideur en vieillissant, principalement à cause de l'usure progressive des articulations. Et puisque les chiens âgés deviennent bien sûr moins actifs, leurs muscles, leurs ligaments et leurs tendons perdent de leur force et de leur souplesse.

Une petite raideur, au lever, n'a rien d'alarmant, mais il ne faut pas l'ignorer car elle risque d'empirer. Et n'hésitez pas à appeler votre vétérinaire en cas de problèmes avec un jeune chien : c'est sans doute un signe que ses os et ses articulations ne se développent pas comme ils le devraient.

Les soupçons habituels

Arthrite. « Cet état consiste en une inflammation des articulations, qui rend les mouvements difficiles ; il s'agit d'une pathologie très répandue » dit Lillian Roberts, vétérinaire. Il existe de nombreuses formes d'arthrite, mais les chiens souffrent en général d'ostéoarthrite ou de polyarthrite rhumatoïde.

L'ostéoarthrite est causée par une détérioration progressive des os et des cartilages. Connue aussi sous le nom d'arthrite « d'usure », elle résulte en général du poids des ans, et concerne plus communément les hanches. Les chiens atteints connaîtront des poussées de raideur, qui dureront plusieurs heures ou plusieurs jours, et qui s'amélioreront progressivement. Mais il arrive que cette situation devienne presque permanente.

La polyarthrite est un état sévère, dans lequel le système immunitaire du corps, considérant à tort les tissus comme des « envahisseurs », leur expédie des cellules destructrices. Cette pathologie s'accompagne d'enflure et d'inflammation, et faute de traitement les articulations seront gravement atteintes.

Dysplasie de la hanche. Les articulations de la hanche, ou énarthroses, sont mobiles et permettent une grande flexibilité et une ample liberté de mouvement ; de plus, elles sont très résistantes. Mais chez certains chiens, elles se relâchent et ont trop de jeu. « Cet état, appelé dysplasie, provoque des frottements entre les différentes parties de la hanche, à défaut de mouvements en douceur, d'où une inflammation douloureuse » dit Kevin O'Neall, vétérinaire. La dysplasie de la hanche est en partie héréditaire, et facile à identifier puisque les chiens qui en souffrent marchent un peu de travers.

Faire au mieux

Donnez-leur de l'exercice. Même les chiens déjà atteints d'arthrite ou d'autres problèmes articulaires tireront des bienfaits d'un exercice régulier, qui allongera les muscles et les tissus adjacents, et stimulera le corps qui diffusera des liquides lubrifiants dont le rôle est de faciliter les mouvements. Il suffit d'un peu d'exercice pour en recueillir les effets favorables. Les vétérinaires recommandent en général 20 minutes de marche par jour. Cette bonne habitude n'aide pas seulement les chiens arthritiques à se sentir mieux, mais elle contribue aussi à empêcher cette pathologie de débuter.

Cependant, ne sous-estimez pas le cas de jeunes chiens souffrant de dysplasie. Tandis qu'un exercice modéré est tout à fait souhaitable, il ne faut pas les encourager à aller trop loin ou trop vite, alors que

Une perle antidouleur

La majorité des vétérinaires ne souhaitent en général pas avoir recours à la médecine holistique, et Bill Martin, vétérinaire, ne faisait pas exception. En effet, il était sur le point d'abandonner au cours d'acupuncture quand son Teckel nain, âgé de cinq ans, Blitzen, tomba paralysé. « J'ai téléphoné à l'un de mes professeurs, » raconte le docteur Martin. « Il m'a dit où et comment placer les aiguilles dans les points d'acupuncture. Au bout de quatre heures, Blitzen était debout. J'ai immédiatement décidé de reprendre mes cours. » Depuis ce moment-là, le docteur Martin a eu la preuve des bienfaits de l'acupuncture. Il se souvient de Joy, un charmant Pinscher, qui souffrait le martyre à cause d'un disque dont l'état s'aggravait. Le docteur Martin décida d'employer une forme d'acupuncture selon laquelle on implante de petites perles d'or dans des points particuliers. Ces boules minuscules, explique-t-il, stimulent ces points de façon permanente, et poussent le cerveau à produire des endorphines qui enrayent la douleur. Elles ont été efficaces dans le cas de Joy. Elle est rentrée à pieds chez elle ce jour-là, et sans douleur.

HISTOIRE DE CHIEN

leurs articulations ne sont pas encore complètement formées. L'état de leurs hanches s'aggraverait.

Massez les endroits douloureux. « Que la raideur soit temporaire ou définitivement installée, des massages dans la région des hanches, ou dans n'importe quel point douloureux, faciliteront la circulation et aideront le corps à éliminer des articulations les substances à l'origine de la douleur » dit Nanette Westhof, vétérinaire.

Offrez-lui un lit confortable. Les chiens atteints d'arthrite souffrent plus le matin quand ils se lèvent, ou après s'être reposés pendant un certain temps. Vous pouvez les aider en facilitant cette transition : donnez-leur un lit adéquat. Il sera épais et bien rembourré, et installé dans un lieu chauffé et à l'abri des courants d'air. Les vétérinaires recom-

mandent parfois des matelas à alvéoles, disponibles dans les boutiques spécialisées pour les animaux de compagnie. Ils soutiendront efficacement les articulations de votre chien pendant son sommeil.

Surveillez leur poids. Les chiens trop lourds sont susceptibles de problèmes d'arthrite, parce que leurs articulations forcent pour porter plus qu'elles n'étaient censées le faire. En outre, ces chiens ont tendance à devenir paresseux, et le manque d'exercice empire évidemment l'importance du mal. La plupart des chiens perdent facilement du poids si on diminue leur ration de 25 %, mais consultez aussi votre vétérinaire pour envisager un programme minceur personnalisé.

 EN BREF En cas de raideur occasionnelle, l'aspirine est particulièrement efficace, dit le docteur Westhof. Ce médicament diminue la douleur, mais empêche aussi les substances chimiques responsables de l'inflammation. La dose habituelle est d'un quart de comprimé de 325 milligrammes pour 5 kg de poids, administré une ou deux fois par jour.

« L'aspirine peut provoquer des problèmes d'estomac ; mieux vaut consulter votre vétérinaire avant d'en faire prendre à votre chien » dit le docteur Westhof. Il est conseillé de choisir de l'aspirine tamponnée ou enrobée. N'y substituez pas d'autres catégories d'anti-inflammatoires, certains étant nuisibles pour les chiens.

Difficultés urinaires

Avec leur attirance naturelle pour les bouches d'incendie, les arbres et le moindre carré d'herbes, les chiens considèrent leurs promenades comme de petites vacances. Ils urinent bien volontiers, et souvent. Mais parfois ce qui devrait se produire naturellement devient douloureux et anormalement lent et difficile. Les problèmes urinaires signifient que quelque chose interfère avec le flot normal de l'urine, et cela est potentiellement grave.

Les soupçons habituels

Infections des voies urinaires. Les chiens atteints d'une infection des voies urinaires auront souvent et brusquement besoin de sortir. En général, ils font encore des efforts alors que leur vessie est presque vide. Causées par des bactéries dans la vessie

Les femelles âgées sont sujettes aux infections des voies urinaires. Encouragez-les à boire pour éliminer les bactéries responsables de ces pathologies.

ou l'urètre (tube qui évacue l'urine), les infections des voies urinaires sont très douloureuses. Tous les chiens peuvent en être victimes, mais elles sont fréquentes chez les chiennes dont l'urètre est court, ce qui permet aux bactéries de remonter plus facilement à contre-courant. « Les chiens souffrant de ces pathologies ont en général une urine sombre, opaque, éventuellement teintée de rouge ou de vert. Elle est aussi malodorante » dit Dan Carey, vétérinaire.

Problèmes de prostate. La prostate est une glande qui encercle l'urètre à l'entrée de la vessie, et c'est elle qui produit le liquide spermatique. Fréquemment, elle grossit à mesure que les chiens prennent de l'âge. En enflant, elle risque de peser sur l'urètre et de provoquer des difficultés urinaires. Les chiens souffrant de cet état ont aussi parfois du sang dans les urines. Les infections de la prostate ne résistent en général pas aux antibiotiques, mais les vétérinaires recommandent de castrer les chiens dont la prostate grossit.

Calculs dans la vessie. L'urine est remplie de substances minérales, qui normalement s'éliminent en même temps qu'elle. Mais il arrive que des éléments minéraux se concentrent dans la vessie, en formant de petites pierres, ou calculs. Dénommés aussi urolithes, ils ont tendance à exister chez les chiens entre quatre et six ans.

Faire au mieux

Purifiez leurs corps. « Les chiens qui boivent beaucoup d'eau sont plus à l'abri de ce genre de problèmes parce que leurs substances minérales sont moins concentrées dans la vessie. Au mini-

mum, les chiens doivent boire 30 grammes d'eau par livre de poids, et par jour. Ceux qui souffrent de calculs dans la vessie ont besoin d'une plus grande quantité, pour nettoyer amplement les voies urinaires, dit le docteur Carey. Bien souvent ils ne s'hydratent pas assez, et vous pouvez les y encourager en ajoutant une pincée de sel dans leur nourriture » conseille-t-il. Ils aiment ce goût-là, qui les stimulera.

Optez pour de l'eau en bouteille. « Les chiens qui ont des calculs dans la vessie iront sans doute mieux s'ils boivent de l'eau en bouteille ; elle contient en effet des substances minérales et elle est plus douce » dit le docteur Carey. L'eau du robinet et certaines eaux de source ont un taux de calcium élevé qui peut provoquer des calculs dans la vessie.

Plus vous accorderez de sorties à votre chien, plus vous réduirez le risque de calculs dans la vessie.

« Mais les chiens souffrant de problèmes cardiaques, ou de rétention d'eau, ne doivent pas boire d'eau minérale, dont la richesse en sodium empirerait leur état » ajoute le docteur Carey.

Sortez-les souvent. « La vessie est un muscle fort et très élastique, et la majorité des chiens peuvent patienter jusqu'à 12 heures, si nécessaire. Mais plus leurs sorties sont rares, plus grands sont les risques de calculs » dit le docteur Carey. Au minimum, les chiens doivent faire un tour trois ou quatre fois par jour. Si vous êtes rarement à la maison, ménagez-leur une porte spéciale, équivalent à une chatière, qui leur permettra de répondre immédiatement aux exigences de la Nature. Vous pouvez aussi habituer votre chien à utiliser des journaux, en cas d'absence de votre part.

Acidifiez leur urine. « Certaines bactéries responsables des infections urinaires ne peuvent pas se développer dans un environnement acide ; on recommande donc souvent de donner aux chiens une alimentation d'excellente qualité, dont les taux

PARTICULARITÉ DE LA RACE

Les chiens les plus susceptibles de souffrir de calculs dans la vessie sont les Schnauzers, les Caniches miniatures, les Teckels, les Dalmatiens, les Cockers spaniels, et les Carlins. Les Terriers, les Bassets hounds, les Corgis (à gauche), et les Bulldogs.

AU SECOURS !

Les chiens qui ont sans arrêt envie d'uriner, et n'y arrivent pas pendant plus de 12 heures doivent être examinés d'urgence par un vétérinaire, parce que leur flot d'urine est sans doute totalement bloqué, dit Dan Carey, vétérinaire.

Très vraisemblablement, un calcul qui se trouvait dans la vessie est passé dans l'urètre, si bien que l'urine doit remonter dans la vessie. Votre vétérinaire pourra sans doute soulager cette tension en quelques minutes, en insérant une sonde dans la vessie, dit le docteur Carey, et votre chien quittera son vétérinaire de bien meilleure humeur. Une fois que la douleur immédiate sera soulagée, le vétérinaire ôtera le calcul et l'analysera. Il existe environ une demi-douzaine de calculs possibles, en fonction de l'accumulation de substances minérales responsables du problème, et chaque type de calcul nécessite un traitement différent. Dans certains cas un régime suffit pour les dissoudre, dans d'autres il faudra envisager une intervention chirurgicale.

de protéines animales très élevés favorisent un peu l'acidité de l'urine » explique le docteur Carey.

Donnez-leur de la vitamine C. « Une autre manière d'acidifier l'urine, c'est de faire prendre aux chiens de la vitamine C, aussi appelée acide ascorbique » dit Anna Scholey, vétérinaire. Elle recommande 250 milligrammes de vitamine C par jour, pour les chiens de moins de 10 kg. Jusqu'à 25 kg, ils peuvent prendre 500 milligrammes par jour,

et les grandes races de 750 à 1 000 milligrammes. Les comprimés et les gélules sont la meilleure façon de l'administrer, puisque les chiens n'aiment pas la présentation en cristaux. « Certains souffrent de diarrhée après avoir absorbé cette vitamine » ajoute le docteur Scholey. Dans ce cas, diminuez la dose jusqu'à ce que vous trouviez le juste milieu.

Donnez-leur du concentré de canneberge. « Ce traitement traditionnel, destiné aux humains dans le cas d'infections urinaires, semble aussi efficace pour les chiens, à condition d'être consommé dès que cet état s'est déclaré » dit le docteur Scholey. Dans ce cas, elle recommande de donner de l'extrait de canneberge en gélules, pour enrayer la prolifération des bactéries dans la vessie et aider les chiens à se guérir plus rapidement. « Les petites races peuvent prendre une gélule par jour, celles de taille moyenne une gélule deux fois par jour, et les grandes races une gélule trois fois par jour. Le traitement est plus efficace sous cette forme que le jus frais, car cet extrait est plus concentré » dit le docteur Scholey.

Si vous ne pouvez pas faire sortir votre chien très souvent, une solution consiste à lui apprendre à aller sur des journaux.

Déglutition difficile

Les chiens ramassent sans cesse des objets, les mâchonnent vaguement, et en tirent ces conclusions : « délicieux » ou « pas bon ». Si le verdict est favorable, ils décideront certainement d'avaler ce qui reste de leur trouvaille – un morceau de papier, un petit caillou, ou un os. Ce comportement est parfaitement normal, si bien que très souvent on constate que la déglutition est un peu malaisée. Mais cette situation est tellement fréquente qu'on a tendance à ne pas s'en préoccuper ; c'est une erreur, car une déglutition difficile est parfois aussi un symptôme de problèmes sérieux.

Les soupçons habituels

Obstructions. Tout ce qui reste coincé dans la gorge ou l'œsophage – tube qui relie la gorge à l'estomac – obligera les chiens à essayer d'avaler de façon répétitive, dans une tentative désespérée pour que cela descende. « La variété de choses que les vétérinaires ont trouvées coincées dans la gueule, la gorge ou l'œsophage est infinie » dit Taylor Wallace, vétérinaire. « Les chiens essaient de manger n'importe quoi : des épis de maïs, des balles, des clous, des cailloux, de la ficelle, des os, des pièces de monnaie, des jouets en peau non traitée » dit-elle.

Mais ils risquent aussi d'avoir des difficultés à avaler leur nourriture, surtout s'ils mangent voracement et ingurgitent plus qu'ils ne sont capables d'assumer sans problème. Cette situation s'est développée récemment, étant donné que beaucoup de gens ont pris l'habitude de donner à leur chien des morceaux de viande non préparés et entiers, comme des cuisses de poulet. Et si le chien ne prend pas bien son temps, il risque de se trouver incapable d'avaler la dernière bouchée.

Grosseurs et tumeurs. « Ce n'est pas très fréquent, mais il arrive cependant que des chiens présentent des grosseurs à l'intérieur de l'œsophage » dit le docteur Wallace. Elles peuvent être bénignes, ou malignes, c'est-à-dire cancéreuses. Dans les deux cas, elles sont inconfortables et contraignent le chien à avaler sans cesse.

Infections. « Les infections du nez, de la bouche, de la gorge ou des amygdales peuvent rendre la déglutition douloureuse et difficile » dit Agnes Rupley, vétérinaire. « Les infections n'ont pas besoin d'être graves pour causer de sérieux problèmes » ajoute-t-elle. Même une petite infection des sinus peut provoquer un écoulement post-

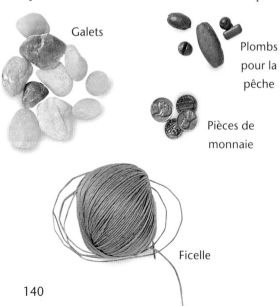

Galets

Plombs pour la pêche

Pièces de monnaie

Ficelle

Certains chiens mangent n'importe quoi, même des choses dangereuses, ou difficiles à avaler.

PARTICULARITÉ DE LA RACE

Les Labradors (à gauche), les Caniches et les Terriers, ont été habitués depuis des générations à utiliser leur gueule – pour rapporter les oiseaux morts, par exemple. Le résultat, c'est qu'ils aiment énormément tenir des objets, mais ils peuvent aussi les avaler accidentellement.

nasal qui obligera le chien à avaler de façon permanente.

Œsophage endommagé. Les chiens ne se brûlent pas l'estomac comme les gens le font parfois, mais il leur arrive d'ingérer des substances caustiques, ou de laper l'eau des toilettes, qui contient des produits chimiques. « Ces ingrédients violents risquent de brûler l'œsophage, et les chiens avaleront sans arrêt pour essayer de diminuer la douleur » dit Rance Sellon, vétérinaire.

Excroissances et plaies. « Une excroissance ou une plaie dans la gueule peut interférer avec la fonction des muscles et des nerfs, et empêcher une déglutition normale » dit le docteur Sellon. « Causées par des problèmes allant de petites coupures à des maladies du système immunitaire, les excroissances et les plaies dans la gueule posent souvent problème, explique-t-elle ».

Nausées. « Puisque les chiens adorent se servir dans les poubelles pour améliorer leur ordinaire (et de préférence si le contenu est malodorant), ils ont des nausées presque chaque fois qu'ils mangent ce qui est

défendu. Ceux qui nous paraissent souffrir de difficultés pour avaler ont peut-être mal au cœur » dit le docteur Wallace. « La nausée fait saliver, et donc avaler ».

Faire au mieux

Regardez attentivement. Si votre chien a avalé normalement, mais tout à coup semble avoir un problème, il y a bien des chances qu'un objet se soit coincé dans sa gueule ou sa gorge. Les vétérinaires recommandent que vous mainteniez sa gueule ouverte d'une main, pendant que de l'autre vous l'examiniez avec une lampe de poche. Observez bien les dents, les lèvres, la langue, et tout le

Des corps étrangers peuvent se loger dans différentes parties de la gueule du chien – autour de ses dents, dans le palais, ou l'arrière de la gorge. Pour examiner la situation, portez des gants épais pour éviter la morsure.

AU SECOURS !

« Il arrive bien souvent que des corps étrangers restent coincés dans la gorge des chiens. La plupart du temps, on parvient à les en débarrasser sans tarder. Mais on n'est jamais certain que ce genre d'obstruction trouvera une solution simple et automatique » dit Jerry Woolfield, vétérinaire et cardiologue. Puisque les chiens souffrant de ce type de difficultés peuvent aussi avoir des troubles respiratoires, il faut absolument savoir ce qui se passe. « Assurez-vous que ses gencives sont roses » dit le docteur Woodfield. Si les gencives sont foncées, signe d'une circulation déficiente, vous êtes face à une urgence.

Les muqueuses qui forment l'intérieur de la gueule et de la gorge sont très délicates, ce pourquoi les vétérinaires recommandent une extrême prudence pour retirer les objets les plus anodins. « Une brindille coincée entre deux dents n'est pas grand-chose, mais un corps étranger dans la gorge ou dans la gueule, exige l'intervention d'un professionnel » dit Agnes Rupley, vétérinaire. « Tout ce qui s'apparente à de la ficelle, à du fil dentaire, ou bien la ligne de pêche, pose véritablement problème » ajoute-t-elle. « Ces objets agissent comme de minuscules couteaux, qui font de minuscules entailles quand on essaie de les ôter ».

se sont coincés entre deux dents ou à l'intérieur du palais. Mais s'ils ont pénétré plus avant, l'intervention d'un professionnel risque d'être nécessaire. « Si vous ne voyez pas l'objet en entier, n'essayez pas de le retirer vous-même » dit le docteur Sellon.

« Bien sûr, les chiens n'aiment pas qu'on leur maintienne la gueule ouverte, et ils essaieront donc de la refermer ; sachez que vous prenez le risque d'être mordu si vous n'êtes pas prudent. Dans le cas des grands chiens, ou de ceux qui ont des crocs très pointus, portez donc des gants épais pendant votre intervention » conseille le docteur Sellon.

Donnez-leur des nourritures tendres. Puisque même des plaies ou des infections bénignes peuvent rendre douloureuse la déglutition chez certains chiens, et pendant quelques jours, ils risquent de ne pas manger assez pour guérir rapidement. « Pour les chiens qui consomment des croquettes, humidifiez-les un peu » suggère le docteur Wallace. « S'ils sont habitués à des aliments en boîte, et qui leur plaisent, ajoutez un peu d'eau pour en faire une soupe ».

Donnez-leur de la glace à croquer. « La plupart des chiens adorent croquer des glaçons, et ces fragments bien frais les aideront à mieux supporter une plaie ou un mal de gorge » dit le docteur Wallace. Vous pouvez leur donner de la glace telle quelle, ou bien la mélanger avec un peu d'eau.

Neutralisez les acides. Puisqu'on ne peut pas voir l'œsophage sans instruments adéquats, il est bien difficile de savoir s'il a été endommagé ou non. Si votre vétérinaire soupçonne qu'une atteinte de l'œsophage est la cause de difficultés de déglutition, il vous recommandera sans doute de donner à votre chien un médicament qui réduit l'acidité de l'estomac en même temps qu'il évite les nausées et les vomissements, dit le docteur Sellon.

palais. Et attardez-vous à l'arrière de la gorge, là où se logent en général les corps étrangers. On arrive bien souvent à les ôter sans difficultés, surtout s'ils

Enflure des articulations

Chaque articulation du corps de votre chien, depuis ces coudes jusqu'à ses hanches, est composée de parties mobiles. Si quelque chose ne fonctionne pas bien dans l'un de ces éléments, le corps envoie du sang et d'autres liquides pour contrôler les dégâts. Et c'est ce qui cause l'enflure.

L'enflure est toujours douloureuse, et occasionnellement grave. « Si un chien se contente de boiter, d'avoir une petite enflure ou tant soit peu de raideur, je ne trouve pas déraisonnable de patienter un ou deux jours en le mettant au repos » dit le docteur John Hamil, vétérinaire. « Mais faute d'amélioration, une consultation vétérinaire s'avère indispensable ».

Les soupçons habituels

Blessures. « Chez les chiots et les chiens âgés, les exercices violents peuvent déchirer les tissus entourant les articulations et provoquer une enflure douloureuse » dit le docteur Hamil.

PARTICULARITÉ DE LA RACE

Les chiots des grandes races ou des races géantes, comme les Lévriers irlandais (à droite), ont souvent des appétits voraces. Il arrive que ce soit problématique s'ils prennent du poids. Ils risquent de s'abîmer les cartilages de l'épaule ou d'autres articulations, pathologie appelée ostéochondrite disséquante.

Infections. Il arrive qu'une infection soit locale – c'est-à-dire limitée à une articulation particulière. C'est bien souvent ce qui se passe après une bataille avec un autre chien, par exemple, ou si à l'occasion d'une coupure ou d'une piqûre, des bactéries ont pénétré dans l'articulation.

Les infections peuvent aussi se répandre dans tout le corps, en déclenchant une enflure dans plusieurs articulations. C'est le cas des chiots souffrant de la maladie de Lyme, infection bactérienne qui se transmet par les tiques ; ils ont souvent des difficultés à marcher, leurs articulations étant à la fois enflées et douloureuses.

Arthrite. L'arthrite est plutôt un problème chez les chiens âgés, et elle provoque une enflure des arti-

Ces jeunes Labradors se chamaillent et se bousculent toute la journée – mais ils risquent de regretter leur exubérance qui provoquera l'enflure de leurs articulations.

143

culations. Une forme d'arthrite, l'ostéoarthrite, ou maladie dégénérative des articulations, n'est que le résultat tout à fait normal du poids des ans.

Mais une autre sorte d'arthrite, appelée polyarthrite rhumatoïde, existe quand le système immunitaire attaque périodiquement les tissus de l'intérieur des articulations, en provoquant une enflure pénible.

Cancer. C'est la cause la plus grave de l'enflure des articulations. Les vétérinaires ont accompli d'immenses progrès dans le traitement du cancer, mais l'efficacité des soins est d'autant plus grande que la maladie aura été détectée de bonne heure. Appelez votre vétérinaire si une enflure, même indolore, ne disparaît pas au bout de quelques jours.

Dysplasie de la hanche. Un problème très fréquent, surtout chez les grandes races, est la dysplasie de la hanche, pathologie héréditaire, dans laquelle les os de cette région ne s'agencent pas aussi étroitement qu'il le faudrait. La dysplasie se manifeste d'habitude pendant les six premiers mois de la vie du chien, bien que la douleur et la raideur n'apparaissent que plus tard.

Les chiens souffrant de dysplasie n'ont pas toujours une enflure visible. Mais cet état génère bien souvent de l'arthrite qui, elle, provoque une enflure évidente. Une façon de détecter cette pathologie, c'est de regarder bouger votre chien. Peut-être qu'il aura du mal à se lever, ou marchera un peu de travers.

Faire au mieux

Contrôlez l'infection. Puisque toute infection doit être gérée par un vétérinaire, il est important de connaître la cause des enflures. Essayez de tâter l'articulation. Si elle est plus chaude que la

région environnante, et si la peau est un peu rouge sous le pelage, il s'agit sans doute d'une infection.

Réduisez la gêne. Une enflure des articulations est un risque potentiel ; il n'est donc pas question de l'ignorer. Une manière de diminuer un peu l'enflure et d'aider votre compagnon, c'est de lui faire un pansement frais, ou d'envelopper de la glace dans un torchon, que vous déposerez sur les zones gonflées, plusieurs fois par jour et pendant 10 minutes. Ce procédé réduira le flot sanguin arrivant à l'articulation, et du même coup l'enflure. Mais si celle-ci est due à l'arthrite, ce sont des pansements tièdes qui seront le plus efficaces. De toute façon cela n'aura pas grand effet.

Faites bouger les articulations. Les articulations enflées sont souvent douloureuses ; il faut donc ménager à votre chien une activité réduite pour qu'il

Les articulations suffisamment enflées pour provoquer l'inconfort, sont en général facilement décelables – et ce Bichon maltais apprécie l'attention qu'on lui porte.

AU SECOURS !

Bien que les enflures d'articulations soient courantes et disparaissent souvent spontanément, il subsiste un risque provoqué par une infection en profondeur. Il est impossible de diagnostiquer cet état à la maison, d'où la nécessité de consulter. On a en général recours aux antibiotiques pour traiter les infections. Mais dans certains cas les vétérinaires doivent drainer le pus ou d'autres liquides contenus dans l'articulation, à l'aide d'une seringue. L'état des chiens qui prennent des antibiotiques s'améliore en général en une journée, et ils se déplacent ensuite facilement. Mais il faut environ deux semaines pour éliminer définitivement l'infection.

Gardez-les au chaud. Les chiens dont les articulations sont enflées souffriront encore plus s'ils dorment sur un sol dur ou un coussin inconfortable n'offrant pas un soutien suffisant. Alors, offrez-leur une literie douillette et bien capitonnée. Pour ceux qui vivent à l'extérieur, les vétérinaires conseillent l'achat d'un lit chauffant, qui protégera leur santé même par les plus grands froids.

 EN BREF La manière la plus rapide de réduire l'enflure et la douleur, c'est d'administrer un peu d'aspirine. La dose habituelle est de 10 milligrammes d'aspirine enrobée ou tamponnée par livre de poids, une ou deux fois par jour. Ce médicament en comprimés provoque parfois des problèmes d'estomac. D'autre part, certains chiens ne la tolèrent pas du tout. Donc renseignez-vous auprès de votre vétérinaire avant d'y avoir recours.

se sente mieux. C'est une excellente idée que de le faire bouger un peu puisque l'exercice favorise la circulation sanguine qui, entre autres, contribue à éliminer des liquides retenus dans les régions enflées, au profit de sang neuf et d'éléments nutritifs.

Installez-le confortablement. Pour que les chiens soient plus à l'aise, les vétérinaires recommandent de placer leur nourriture et leur bol d'eau à proximité, afin de leur éviter trop de déplacements. Et puisque ceux qui souffrent de problèmes d'articulations ont du mal à se déplacer sur un sol glissant, vous pouvez très bien les faire profiter d'un petit tapis placé sur le carrelage. Ils sont aussi bien obligés de sortir pour vaquer à leurs occupations. Des marches d'escaliers seront sans doute problématiques. Alors installez-leur une simple rampe d'accès en moquette.

Ces Whippets ont des manteaux capitonnés très confortables permettant de les garder au chaud, et leurs articulations restent souples.

Ballonnement

Les chiens adorent manger, mais il leur arrive aussi de payer pour leur appétit féroce en s'arrondissant de manière assez spectaculaire. Contrairement aux humains, les chiens répartissent leur embonpoint sur toute la surface de leur corps.

Un chien dont l'estomac est tendu et enflé est presque toujours malade. Si une grossesse est hors de question, il vous appartient d'en détecter les raisons, et de le soigner.

Les soupçons habituels

Parasites. Les chiots qui ont un gros ventre ont en général des vers, dit Kristin Varner, vétérinaire. Les parasites comme les ascarides vivent

Il est normal que les chiots soient dodus, mais s'ils ont vraiment un gros ventre, ils sont sans doute infestés de vers.

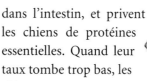
dans l'intestin, et privent les chiens de protéines essentielles. Quand leur taux tombe trop bas, les chiots peuvent sécréter dans l'abdomen des liquides qui les font gonfler.

Torsion de l'estomac. Si on constate une enflure de l'estomac, en l'espace d'une ou deux heures, la cause en est certainement une torsion de l'estomac ; cet état risque d'être fatal, puisque cet organe se remplit de gaz qui ne peuvent pas s'échapper, dit Thomas Schmidt.

Les vétérinaires ne sont pas très sûrs des causes de la torsion de l'estomac, appelée aussi dilatation volvulus gastrique. Elle se manifeste en général après des repas abondants, et touche tout particulièrement les gros chiens à large poitrail. C'est une atteinte dangereuse, parce que les accumulations de gaz peuvent provoquer une torsion entraînant une fermeture de l'estomac, et qui empêche ainsi les gaz de s'échapper ; de plus, il risque d'appuyer sur des vaisseaux sanguins importants.

Liquide abdominal. Il est tout à fait normal que les chiens aient de petites quantités de liquides dans l'abdomen, juste assez pour que les organes restent moites. Mais les chiots atteints de problèmes internes, comme le cancer ou une maladie de foie ou de cœur, auront une rétention de ces liquides. Leur ventre grossira pour atteindre parfois plusieurs fois sa taille normale. Cette pathologie est appelée ascite, dit Dan Carey, vétérinaire.

Problèmes hormonaux. Chez les chiens souffrant de la maladie de Cushing, les glandes surrénales produisent trop d'hormone, d'où une possible enflure de l'abdomen. La maladie de Cushing provoque un affaiblissement des muscles abdominaux, si bien que le ventre peut pendre jusqu'au sol. On soigne en général cette pathologie par des médicaments diminuant la surabondance des sécrétions.

Grossesse. L'une des causes les plus évidentes du gros ventre (que beaucoup de propriétaires n'envisagent pas), c'est la grossesse. Dès qu'une chienne commence à donner des signes de cet état, son ventre peut doubler ou tripler. Donc, si vous avez une femelle non opérée, et même s'il n'y a qu'une chance infime qu'elle ait reçu un visiteur non autorisé, demandez à votre vétérinaire s'il pense qu'elle est grosse.

Faire au mieux

Attention aux parasites. On n'a en général aucun mal à détecter les vers en regardant les selles et le pelage autour de l'anus. Les ascarides ressemblent à de longs filaments blanchâtres et sont très visibles. Les ténias s'apparentent un peu à des grains de riz et se présentent sous forme de segments. Des vermifuges, délivrés sans ordonnance et contenant du pamoate de pyrantel, sont efficaces et sûrs, si vous vous conformez strictement aux indications.

Traiter ses chiens soi-même pose parfois problème, parce que bien souvent ils n'ont pas qu'une seule catégorie de parasites. Les produits achetés dans les boutiques spécialisées pour animaux de compagnie ne les tueront pas tous. Votre vétérinaire reste votre meilleur conseiller.

Évitez la torsion de l'estomac. Une torsion de l'estomac est toujours une urgence et il faut

LE BON ??? TRUC

Des chiots de la même portée peuvent-ils avoir des pères différents ?

Si une grossesse a été programmée et supervisée, on n'a aucune difficulté pour connaître l'identité du père. Mais dans le cas d'accouplements imprévus, c'est une autre affaire. Les chiennes en chaleur sont extrêmement attirantes pour les mâles. Si une femelle dans cet état n'est pas enfermée ou surveillée à la maison, une meute de mâles se présentera et se battra pour obtenir le privilège de l'accouplement. Ces combats désigneront le chien dominant, et c'est bien souvent celui que la femelle choisira. Après l'accouplement, le mâle reste en général aux abords de la femelle pour la protéger, elle et son investissement biologique, contre ses rivaux. Mais si le couple se sépare, ou si le mâle ne réussit pas à défendre la femelle, elle peut très bien accueillir un autre prétendant. Comme elle n'a aucune garantie sur la fertilité du premier, ce partenaire de remplacement augmentera ses chances de grossesse. Mais si les deux mâles sont fertiles, elle se retrouvera avec des chiots de deux pères différents.

demander de l'aide aussi vite que possible, dit Susan Vargas, vétérinaire. En général, les vétérinaires libèrent les gaz accumulés en introduisant un tube dans l'estomac.

On ne réussit pas à soigner une torsion de l'estomac à domicile, mais il existe quand même des moyens de s'assurer que cette situation ne se reproduira pas. Le docteur Carey suggère de passer à un régime « haute performance », qui contient environ 20 % de graisses. C'est un taux supérieur à celui des alimentations habituelles, ce qui signifie que les chiens mangeront moins – et cela, dit-il, peut contribuer à éviter cette pathologie.

Le docteur Carey recommande aussi de diviser la nourriture en plusieurs petits repas quotidiens, plutôt qu'un seul beaucoup trop important. « Son estomac aura ainsi de moins grandes quantité de nourriture et d'eau à gérer en même temps » explique-t-il. Et si vous surélevez le plat de votre chien, il absorbera moins d'air en mangeant et en buvant.

Bien que les vétérinaires n'en connaissent pas les raisons exactes, les chiens sont plus susceptibles de torsions de l'estomac s'ils mangent juste avant ou juste après avoir pris de l'exercice. Le docteur Carey suggère d'empêcher les chiens de manger ou de boire beaucoup d'eau entre une et deux heures avant qu'ils se dépensent.

En surélevant le bol de nourriture et le bol d'eau du chien, il avale moins d'air, ce qui diminue le risque de torsion de l'estomac.

AU SECOURS !

La torsion de l'estomac risque d'être fatale puisqu'elle se développe extrêmement rapidement. Il arrive souvent qu'un chien soit parfaitement normal, puis désespérément malade quelques heures plus tard – ou même moins. C'est pourquoi les propriétaires de chiens puissants et à large poitrail – les plus susceptibles de cet accident – doivent absolument être capables d'en reconnaître les symptômes, dit Susan Vargas, vétérinaire.

Voici les symptômes :

- Le ventre est tendu et enflé.
- Le chien est agité, léthargique, ou visiblement très mal à l'aise.
- Il halète lourdement.
- Un des côtés de son corps a l'air rigide.

« Si vous avez un jour été le témoin d'une torsion de l'estomac, vous ne l'oublierez jamais, » dit le docteur Vargas. Et puisque cet état est à haut risque, il faut vous rendre au plus vite chez votre vétérinaire.

Il urine moins souvent

Il existe une grande variété de fréquence dans les habitudes urinaires des chiens. Ceux qui ont une petite vessie ont des besoins plus fréquents que les autres, et les chiens âgés doivent aussi répondre plus souvent aux exigences de la Nature. Mais ils ne nous réservent en général pas beaucoup de surprises, et encore moins quand il s'agit de leurs sorties. Un chien qui tout à coup urine moins que d'habitude risque d'être gravement atteint. Appelez immédiatement votre vétérinaire.

Les soupçons habituels

Fièvre. « Chez les chiens souffrant d'une infection virale, la température peut monter autant que chez les gens. Il leur arrive d'uriner moins pendant le temps de leur maladie parce que la fièvre brûle des liquides internes » dit L. R. Danny Daniel, vétérinaire.

Déshydratation. Principalement par temps chaud, les chiens ne boivent souvent pas assez, ne serait-ce que parce qu'ils ont la mauvaise habitude de renverser leur bol d'eau quand leurs propriétaires partent travailler. S'ils en manquent pendant quelques heures, ce n'est pas grave, mais ils se déshydratent cependant très vite – et le corps se défend en retenant les liquides. « Peut-être que vous ne remplissez pas son bol assez souvent » dit le docteur Daniel.

Infections des voies urinaires. Les chiens atteints d'une infection de la vessie ou de l'urètre urinent d'habitude plus que moins. Mais dans certains cas ces infections affaiblissent la vessie, et empêchent ce muscle puissant d'expulser l'urine. La situation est la même quand les nerfs vertébraux sont endommagés ou coincés – par une détérioration d'un disque de la colonne vertébrale, par exemple. Si une pression s'exerce sur des nerfs, elle bloque les envies spontanées indiquant que c'est le moment d'uriner.

Maladie rénale. Les reins ont la responsabilité de filtrer de nombreux déchets et de les élimi-

Les chiens ne boivent pas toujours suffisamment pour que leurs voies urinaires restent saines. Certaines personnes ont beaucoup d'imagination pour les y encourager. Ces Bergers australiens adorent l'eau fraîche du tuyau d'arrosage.

ner dans l'urine. S'ils fonctionnent mal, les chiens n'urinent pas assez. « Les maladies rénales sont graves, à cause de l'accumulation de liquides et de déchets » explique le docteur Daniel.

Les meilleures solutions

Contrôle de la fièvre. La plupart des infections virales ne sont pas très sérieuses, mais il faut savoir s'il s'agit d'une situation exceptionnelle qui pousse votre chien à uriner moins souvent, ou s'il se passe autre chose. On peut mesurer la température d'un chien avec un thermomètre rectal, lubrifié avec un peu de vaseline.

« La température normale des chiens oscille entre 37° et 39° 5. Si elle atteint des pointes autour de 40°, appelez votre vétérinaire » dit Beverly J. Scott, vétérinaire.

Augmentez la quantité de liquides. On ne peut pas obliger un chien à boire plus, mais si on lui réserve un bol rempli d'eau fraîche en permanence, surtout pendant les mois d'été, ou quand il a une activité supérieure à la normale, il sera plus tenté de boire.

« Boire plus d'eau ne signifie pas seulement échapper à la déshydratation » ajoute le docteur Daniel. Cela favorise aussi l'élimination des bactéries se trouvant dans la vessie et les voies urinaires, aide à la prévention des infections et diminue les risques d'irritation chez les chiens déjà infectés.

EN BREF Le corps possède un mécanisme de la soif qui dicte aux chiens le moment où il leur faut boire. Ce système ne fonctionne pas toujours parfaitement, ce pourquoi les vétérinaires recommandent parfois de stimuler la soif d'une autre manière – en ajou-

AU SECOURS !

« Comme l'un des symptômes majeurs des maladies rénales est une diminution de la fréquence des besoins d'uriner, il ne faut pas attendre plus d'un jour ou deux avant d'appeler votre vétérinaire. Mais avant la consultation, il se peut qu'il vous demande de prélever un échantillon d'urine à la maison. Les chiens ne s'exécutent pas sur commande, et le diagnostic sera moins définitif en l'absence d'échantillon » dit L. R. Danny Daniel, vétérinaire.

L'urine devient sombre et concentrée chez les chiens qui ne boivent pas assez d'eau, parce que la quantité de liquide ne permet pas la dissolution des déchets.

En revanche, si l'urine devient légère ou même très claire, c'est un signe de problème rénal. Et si elle est limpide en permanence, il faut redouter que les déchets ne stagnent dans le corps.

« Les problèmes rénaux doivent absolument être gérés par un spécialiste » dit le docteur Daniel. Il arrive que l'on prescrive aux chiens une dialyse pour éliminer les toxines. En plus, votre vétérinaire vous recommandera certainement un régime pauvre en protéines. Le rôle des reins consiste, en partie, à filtrer les sous-produits de celles-ci. « Si vous donnez à votre compagnon une alimentation adaptée à son cas, ses reins se fatigueront moins » explique-t-il.

tant, par exemple, une saveur dans son eau. Si votre chien se met à boire plus, et si ses habitudes urinaires redeviennent normales, rassurez-vous, le problème est réglé.

Il urine trop souvent

La plupart des chiens urinent trois à quatre fois par jour, sans compter les petits arrêts sur les poteaux et les touffes d'herbe, pour marquer leur territoire ou tout simplement se rappeler au bon souvenir des autres. Mais comme dans le cas de la plupart des fonctions corporelles, il n'existe pas de fréquence urinaire « normale ». « Certains chiens se contentent très bien de sortir deux ou trois fois par jour. D'autres, qui travaillent dur et boivent beaucoup, sont assujettis à sept, huit ou neuf sorties » dit Christine Wilford, vétérinaire.

Un vétérinaire ne s'attarde pas à étudier la fréquence avec laquelle un chien urine, mais plutôt aux changements éventuels. Les chiens qui se mettent à uriner très souvent ont toujours un problème physique. Soit quelque chose irrite et bloque

AU SECOURS !

« Les vétérinaires sont inquiets quand des chiennes non opérées se mettent à uriner beaucoup trop, parce qu'elles risquent de souffrir d'un pyomètre, qui est une dangereuse infection de l'utérus, et nécessite des soins d'urgence » dit Christine Wilford, vétérinaire. « Le pyomètre se manifeste d'habitude dans les trois mois qui suivent les chaleurs ; en général, la meilleure solution est l'ablation de l'utérus. D'autres problèmes internes pouvant provoquer un besoin d'uriner fréquent sont les diabètes, les maladies de foie ou rénales, et certains déséquilibres hormonaux » dit le docteur Wilford.

les voies urinaires, soit il existe un ennui interne qui entraîne le corps à éliminer trop de liquides.

Les soupçons habituels

Infection ou irritation. « Des infections risquent de se produire n'importe où dans les voies urinaires, depuis l'urètre (tube par lequel l'urine sort du corps) jusqu'à la vessie ou même les reins. Les infections ne contraignent cependant pas toujours le corps à fabriquer plus d'urine, mais elles irritent les voies urinaires et provoquent donc des besoins plus urgents » dit Bonnie Wilcox, vétérinaire.

Les chiens qui souffrent de ces infections, ou d'autres types d'irritation, redouteront même de sortir, puisque le résultat se résumera à quelques gouttes. Et cette urine aura sans doute une forte odeur de poisson.

Obstructions. « Il arrive bien souvent que les chiens souffrent de petits calculs dans la vessie ; ce sont des cristaux résultant du regroupement d'éléments minéraux dans l'urine. Ces calculs deviennent parfois assez importants et provoquent des irritations, des douleurs, ou des saignements » dit le docteur Wilford. Et si par hasard l'un d'eux passe de la vessie dans l'urètre, il peut très bien empêcher l'urine de s'écouler.

Bien que les chiens mâles souffrent moins souvent de calculs que les chiennes, ils sont plus enclins à avoir des obstructions de l'urètre, parce que cet organe est, chez eux, plus long et plus étroit. « On aura l'impression qu'ils urinent fréquemment, mais si vous faites très attention, vous verrez que seules

quelques gouttes s'écoulent » dit le docteur Wilford. Dans ce cas, les chiens sont agités et très mal à l'aise.

Âge. Les chiens âgés ont tendance à uriner plus souvent que dans leur jeunesse, parce qu'ils arrivent difficilement à se retenir aussi longtemps. Il existe chez eux un fort risque d'incontinence, en général dû au sphincter urinaire – ce muscle qui contrôle la vessie et s'affaiblit avec le temps. « Les femelles opérées sont très susceptibles de cette gêne parce qu'elles fabriquent très peu d'œstrogène, alors que cette hormone permet aux muscles des voies urinaires de rester puissants. On administre parfois un complément d'œstrogène aux femelles âgées qui ont été opérées » dit le docteur Wilcox.

Faire au mieux

Éliminez les infections par la boisson. « Cela semble paradoxal que les chiens qui urinent beaucoup aillent mieux s'ils boivent plus. Mais une grande quantité d'eau aidera à éliminer les bactéries causant une infection dans la vessie » dit le docteur Wilford. L'eau réduit aussi la concentration de substances minérales, ou autres éléments irritants se trouvant dans l'urine, ce qui, par conséquent, peut diminuer le besoin d'uriner souvent. « Puisqu'il n'est pas simple d'encourager les chiens à boire, les vétérinaires recommandent de rendre leur eau plus appétissante – en y ajoutant du bouillon de bœuf ou de poulet, par exemple, ou même une cuiller à soupe de jus de palourdes en boîte. Ce goût légèrement salin les stimulera ». On peut aussi faire pénétrer plus de liquide dans leur corps en ajoutant le quart d'une tasse d'eau dans leur nourriture.

« Une infection de la vessie, si elle n'est pas soignée, risque d'entraîner une infection rénale ou des calculs rénaux » dit le docteur Wilford. Les

Encourager les chiens à boire permet de diminuer la concentration des substances irritantes contenues dans l'urine, et d'éliminer aussi les bactéries.

chiens qui continuent d'uriner trop souvent, au-delà de deux jours, doivent être examinés. Les infections urinaires ne résistent pas aux antibiotiques, qui enrayeront rapidement les symptômes et élimineront complètement l'infection en moins de deux semaines. « Il est important de poursuivre jusqu'au bout le traitement antibiotique et de demander un check-up pour s'assurer que la guérison est définitive » ajoute le docteur Wilford.

Dissolution des calculs. Les gros calculs urinaires sont en général éliminés chirurgicalement, mais il arrive que les petits se dissolvent – ou du moins arrêtent de se former – si votre chien boit plus et si vous modifiez le contenu de son repas. Il existe deux types de calculs.

• Les calculs de struvites, qui se forment après qu'un chien ait eu des infections ; il arrive qu'on puisse les faire se briser dans la vessie en passant à

Tous les types d'exercices renforcent les muscles qui contrôlent les voies urinaires, mais la natation est très recommandée pour les chiens âgés.

un régime pauvre en protéines, et en cendres, et riche en sel. Mais ce type d'alimentation, qui se pratique sur ordre d'un vétérinaire, n'est pas recommandé pour empêcher les calculs de se former.

• Les urates, calculs dûs à l'acide urique peuvent se former quand un sous-produit d'une protéine (acide urique) n'est pas complètement brisé dans le foie. Cette situation est surtout fréquente chez les Dalmatiens. Les chiens qui ont tendance à en souffrir doivent suivre un régime préventif spécial. Dans certains cas, il suffit de surveiller l'alimentation, mais dans d'autres il faut avoir recours à des médicaments.

Maintien de l'activité. L'exercice renforce tous les muscles du corps, y compris ceux des voies urinaires. « Les chiens âgés et qui ont des difficultés à contrôler leur vessie, se porteront mieux s'ils font deux promenades d'une demi-heure tous les jours » dit le docteur Wilcox. La natation est une forme d'exercice particulièrement efficace chez les vieux chiens parce que, tout en les fatiguant, l'eau aide les articulations à mieux fonctionner sans douleur.

PRÉLÈVEMENT D'UN ÉCHANTILLON D'URINE

Quand les vétérinaires doivent soigner un chien souffrant de problèmes urinaires, ils commencent en général par analyser les urines. « Dans cette situation, les chiens ne sont pas vraiment coopératifs. Mieux vaut donc essayer d'obtenir un échantillon d'urine » dit Bonnie Wilcox, vétérinaire. « La meilleure chose à faire, c'est de prélever cet échantillon tôt le matin, quand l'urine est la plus concentrée » ajoute-t-elle. Voici une manière simple et propre de vous en procurer un spécimen.

• Fixez un gobelet de carton à l'extrémité d'un fil de fer ou d'un cintre à vêtements.

• Mettez votre chien en laisse et promenez-le dans son « lieu » habituel. Et dès qu'elle s'accroupit ou qu'il lève la patte, placez le gobelet dans la bonne position.

• Transférez l'urine dans un récipient propre et hermétique, et emportez-le chez le vétérinaire dans les trois ou quatre heures qui suivent.

Vomissement

Quand il s'agit de nourriture, les chiens adorent faire des expériences. Ils mangent des ordures, des pommes de terre pourries, des sacs entiers de bonbons, et finalement n'importe quoi. La Nature se montre bienveillante à l'égard de leurs appétits en leur permettant de vider leur estomac sans trop attendre. « Il suffit presque qu'ils y pensent pour les chiens vomissent » dit Dan Carey, vétérinaire.

Les soupçons habituels

Indiscrétions alimentaires. La principale cause de vomissements chez les chiens, c'est lorsqu'ils ont mangé quelque chose que leur estomac n'était pas en mesure de gérer, comme des touffes d'herbe ou des aliments pourris trouvés dans les poubelles. Même une nourriture parfaitement saine peut les rendre malades s'ils en consomment trop ce pourquoi beaucoup de gens protègent les sacs d'aliments en les rangeant dans un placard.

Aliments avariés. Les aliments commercialisés ont une capacité de stockage impressionnante, mais une fois qu'ils ont été humidifiés, ils peuvent tourner en

Quelques mûres ne feront sans doute pas de mal à ce Berger écossais, mais d'autres chiens se laissent souvent emporter par la curiosité de leur appétit, et mangent des choses qui ne leur conviennent pas.

moins de trois heures. Dans le cas des nourritures en boîte, le phénomène est encore plus rapide. Les chiens ne redoutent pas les odeurs fortes, et les produits avariés ne déplaisent pas à leurs papilles, mais plutôt à leur estomac.

Objets avalés. Les chiens n'ont pas pour habitude d'avaler des billes, des jouets en plastique, des capsules de bouteilles, ni tous les objets qu'ils reniflent et prennent dans leur gueule. Mais bien des choses qui y pénètrent poursuivront leur chemin – et il arrive que l'estomac réponde en les renvoyant.

Vers. Les parasites intestinaux, comme les ascarides, les ténias et les tricures vivent dans l'appareil digestif, et provoquent parfois tant d'irritations que les chiens sont malades et vomissent. Les vers sont très fréquents chez les chiots, qui ont bien souvent été infectés avant même leur naissance. On peut se procurer des vermifuges dans les boutiques spécialisées pour animaux de compagnie et chez les vétérinaires.

LE FAIRE VOMIR

Les chiens ont pour habitude de faire l'expérience de tout ce qu'ils trouvent, même les poisons. Si vous constatez qu'un chien a avalé un produit non corrosif, comme de l'antigel ou un médicament destiné aux humains, il faut l'aider à vomir. Avec une seringue ou un cône de pâtissier, laissez tomber goutte à goutte une solution de peroxyde d'hydrogène dans l'espace situé entre la gencive et la lèvre. Dosez à une cuiller à soupe pour 10 kg de poids. Puis précipitez-vous chez le vétérinaire.

Ulcères. Les chiens ne souffrent pas beaucoup du stress dans leur vie, mais ils peuvent avoir des ulcères – en général après avoir mangé un objet qui leur a abîmé l'estomac, comme des pièces de monnaie ou des batteries. Ceux qui souffrent d'ulcères vomissent souvent quelque chose qui ressemble à des grains de café, ce qui veut dire qu'ils régurgitent du sang digéré.

Écœurement du matin. Occasionnellement, ils crachent un peu de liquide jaune quand ils se réveillent. C'est répugnant, mais pas dangereux. Les vétérinaires l'appellent vomissement bilieux, et il est provoqué par une absence de nourriture pendant la nuit. Cela signifie tout simplement que leur estomac est en colère.

Faire au mieux

Accordez du répit à leur estomac. Tout comme il faut laisser se reposer un muscle qui a trop travaillé, l'estomac a aussi besoin de répit quand il est dérangé. Les vétérinaires recommandent de ne rien donner à un chien pendant les 12 heures qui suivent les vomissements. Sinon l'estomac, qui est délicat, risque de restituer les aliments. « S'il ne s'est rien passé d'anormal pendant ce laps de temps, on peut proposer une petite quantité de nourriture – environ un huitième de la ration habituelle » dit le docteur Carey. « Et quelque heures plus tard, redonner une petite portion. L'idée consiste à réhabituer l'estomac à fonctionner tout en maintenant un régime approprié. Au bout de deux ou trois jours, la plupart des chiens opèrent un retour à la normale, dit-il. »

Limitez la quantité d'eau. Les chiens qui ont été malades ont besoin de remplacer les liquides emportés par les vomissements. « Mais il ne faut pas qu'ils boivent trop d'eau, qui irriterait leur estomac » dit Lila Mille. Elle recommande de les laisser laper très peu de temps, et de recommencer une heure plus tard.

AU SECOURS !

Alors que les vomissements sont en général provoqués par rien de plus qu'une simple indigestion, c'est aussi un symptôme fréquent chez les chiens souffrant de problèmes stomacaux ou intestinaux graves, dont les ulcères. Les vétérinaires ne s'inquiètent que si un chien vomit souvent, même sans avoir mangé, et si la vomissure contient du sang. De plus, les vomissements s'accompagnant d'autres symptômes, comme la diarrhée ou la fièvre, justifient une visite chez un professionnel.

Donnez-leur des glaçons. La plupart des chiens adorent croquer des glaçons, et c'est une excellente façon de leur faire ingérer de l'eau sans qu'ils en prennent trop à la fois.

Donnez-leur un peu de sel. « L'une des manières de calmer un estomac dérangé, c'est de donner aux chiens une cuiller à café de sel dissout dans 15 cl d'eau tiède » dit Bill Martin, vétérinaire. « Les ions chlorés du sel calmeront l'estomac » dit-il.

Ou bien donnez-leur une boisson sucrée. « Une autre façon d'éviter les nausées consiste à faire absorber une petite quantité d'une boisson sucrée gazeuse et au gingembre, ou de la citronnade. Le pétillement semble calmer l'estomac, et le sucre en adoucira les parois » dit le docteur Carey. « Donnez aux chiens de taille moyenne environ une cuiller à soupe de ce breuvage toutes les 30 minutes, et répétez l'opération trois ou quatre fois.

En croquant des glaçons ce chien, qui a été malade, augmente sa quantité de liquides qui compensera sa déshydratation ; et c'est aussi très amusant.

Les tout petits chiens prendront une cuiller à café et les très grands deux cuillers à soupe, ajoute-t-il. »

 EN BREF « Une manière rapide de soulager l'estomac, c'est de donner aux chiens du Pepto-Bismol ou du Kaopectate » dit le docteur Miller. Elle recommande d'administrer une cuiller à café de ce médicament pour 10 kg de poids toutes les six à huit heures. La plupart des chiens détestent l'odeur de ces produits pharmaceutiques, et vous serez sans doute obligé de les injecter dans la bouche avec un compte-gouttes en plastique ou un cône de pâtissier.

Pour y arriver, soulevez le museau en le faisant légèrement pointer vers le haut. Placez l'instrument entre les lèvres et les dents et propulsez lentement une petite quantité de médicament. Attendez que le chien avale, et appuyez un peu plus fort. Puis continuez jusqu'à épuisement de la dose.

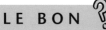

LE BON ?!? TRUC

Pourquoi les chiens mangent-ils de l'herbe ?

Les chiens qui ne se sentent pas très en forme se précipitent bien souvent vers la plus petite touffe d'herbe qu'ils se mettent à mâcher. Les vétérinaires ne savent pas vraiment s'ils en mangent pour s'aider à rendre ce qui les dérange ou s'ils sont malades parce que l'herbe irrite leur appareil digestif. « Il est certain que l'herbe irrite l'intestin » dit Dan Carey, vétérinaire. Mais si les chiens la considèrent vraiment comme un médicament, ou s'ils se contentent d'en aimer le goût, on ne le saura jamais.

Excédent de poids

Les ancêtres de nos chiens existaient à une époque où il n'était pas facile de se procurer de la nourriture, et la famine était toujours au coin du bois. Ils arrivaient à survivre grâce à ce simple expédient : manger autant que possible quand ils en avaient l'occasion. En ingurgitant un maximum, ils avaient une chance de pouvoir supporter d'éventuelles privations.

Les chiens n'ont plus à se soucier de leur prochain repas, mais ils continuent de considérer leurs aliments comme devant être dévorés au plus vite – et plus ils mangent, plus ils sont heureux. Ajoutez à cela que les humains adorent les gâter et remplir abondamment leur plat ; ne vous étonnez donc pas qu'ils soient souvent beaucoup trop rondelets.

RÉCOMPENSES AUTORISÉES

Certaines gâteries commercialisées sont riches en calories, et il n'en faut pas beaucoup pour détruire la belle silhouette d'un chien. Vous pouvez très bien donner des récompenses faites à la maison.

• Passez une tranche de foie frais dans un four à basse température, jusqu'à ce qu'elle soit attendrie, puis coupez-la en petits morceaux.

• Coupez des hot-dogs en tous petits morceaux et passez-les au four à micro-ondes jusqu'à ce qu'ils soient croquants.

• Les carottes et autres légumes crus, comme les haricots verts, sont très sains et plaisent beaucoup aux chiens. Si le vôtre ne les aime pas crus, faites-les cuire à la vapeur ou dans un peu de bouillon de bœuf ou de poule.

Les soupçons habituels

Suralimentation. La principale cause d'un excédent de poids, c'est bien sûr de trop manger. Les nourritures modernes commercialisées sont riches en graisse – pas nécessairement parce que les chiens ont besoin de toutes ces calories supplémentaires, mais parce que les graisses donnent bon goût à leurs aliments. De plus, ils arrivent bien souvent à se procurer un biscuit ou un morceau de poulet, par-ci par-là. Et les calories s'accumulent.

Manque d'exercice. Il existe une équation toute simple, qui détermine si les chiens « vivent » minces ou gros : « Quand les calories qu'ils consomment sont supérieures à celles qu'ils brûlent, le supplément doit se loger quelque part — et ce quelque part, c'est en général des bourrelets près des côtes, » dit Tim Banker, vétérinaire. Dans le cas de nombreux chiens, c'est en se rendant vers leur plat qu'ils brûlent le plus de calories. Les propriétaires n'ont bien souvent ni le temps ni le goût de prendre beaucoup d'exercice, si bien que leurs chiens, eux non plus, n'en font pas.

Déséquilibres hormonaux. Les chiens prennent occasionnellement du poids quand ils produisent trop peu d'hormone thyroïdienne, responsable du métabolisme du corps. Si les taux de cette hormone sont trop bas, les chiens manquent

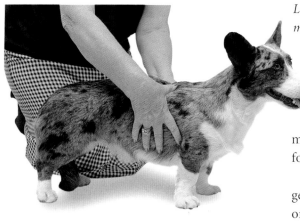

Les chiens qui ont un poids normal ont une taille marquée et sont bien en chair au niveau des côtes.

d'énergie et prennent du poids. Cette pathologie, appelée hypothyroïdie, peut être grave. Mais une fois qu'elle est diagnostiquée, on peut aisément la soigner grâce à des compléments thyroïdiens.

Faire au mieux

Commencez par un contrôle du poids. En général les chiens prennent du poids tellement lentement que leur entourage ne s'en aperçoit même pas – jusqu'à ce qu'il constate l'évidence sur la bascule du vétérinaire. Certaines personnes pèsent leur compagnon tous les jours – c'est facile si vous avez un Caniche nain, mais très différent si vous possédez un grand Danois. Une manière plus simple d'exercer ce contrôle, c'est de regarder la silhouette du chien. Toutes les races sont différentes, mais les chiens doivent être plus minces au-dessous de la cage thoracique. En outre, on doit pouvoir sentir ses côtes en le caressant.

Nourrissez-le à intervalles réguliers. C'est pratique d'offrir à son chien des repas style « buffet », c'est-à-dire de déposer de la nourriture et de le laisser faire. Certains montrent

beaucoup de retenue, mais d'autres nettoient tout au plus vite – et en redemandent. Plutôt que leur mettre des aliments en permanence à disposition, les vétérinaires recommandent des repas à heures fixes, une ou deux fois par jour.

Contrôle des quantités. Même quand les gens font un effort pour surveiller les calories, ils ont tendance à trop nourrir leurs chiens. Quand vous remplissez un plein bol, par exemple, utilisez-vous un verre gradué, ou mettez-vous « environ un verre » ? Le docteur Shaw recommande de mesurer la quantité de nourriture après l'avoir versée. Vous risquez d'être fortement surpris de ce que vous avez donné.

Régime sur mesure. Tous les chiens ont besoin de quantités différentes. Les recommandations sur le sac doivent servir de base, mais il faut demander plus de détails à votre vétérinaire. Pour aider un chien à maigrir vous pouvez dimi-

PARTICULARITÉ DE LA RACE

Les chiens les plus susceptibles de souffrir d'hypothyroïdie – et de prendre du poids en proportion – sont les Dobermans, les Pinschers, les Boxers, les Bulldogs anglais, les Teckels (à droite), et les Bergers anglais.

AU SECOURS !

Un excédent de poids ne signifie pas nécessairement qu'un chien passe trop de temps devant son plat. Certains ont un gros ventre, alors que le reste de leur corps est mince. Il peut s'agir d'une dilatation abdominale, c'est-à-dire que des liquides s'y accumulent et le font gonfler. Cette dilatation peut résulter d'une infection virale, et être très grave. Si vous remarquez tout à coup une protubérance là où il n'y avait rien au auparavant, appelez immédiatement votre vétérinaire.

---

nuer de 25 % la ration que vous lui donniez, dit C. A. Tony Buffington, professeur de médecine vétérinaire. S'il n'a pas minci au bout de quinze jours, réduisez encore un peu la quantité. Et s'il n'y a aucun changement, demandez de l'aide à votre vétérinaire. En toute sécurité, un chien peut perdre 0,5 à 2 % de son poids par semaine, ajoute le docteur Buffington. Un chien de 50 kg peut donc perdre 500 grammes par semaine.

Nourrissez-les plus souvent. Le problème des régimes, c'est la faim qui tenaille. Pour que les chiens n'en souffrent pas, le docteur Shaw recommande de leur donner moins et plus souvent. La totalité de leurs calories quotidiennes sera à peu près la même, et ils se sentiront bien.

Choisissez des récompenses saines. Votre chien ne perdra pas de poids s'il mange entre les repas. Essayez de diminuer le nombre de gâteries, ou choisis-sez-en de plus saines, comme les bâtonnets de légumes crus, ou les biscuits au maïs, dit le docteur Shaw.

Attention aux récidives. La plupart des chiens n'apprécient pas du tout les modifications de leurs habitudes culinaires. Ils auront souvent recours à des descentes discrètes dans la cuisine – pour examiner le contenu de la poubelle, ou l'état du plan de travail. Certains chiens ont même appris à ouvrir les réfrigérateurs, dit le docteur Shaw. « Dans certains cas, on a bien du mal à vivre avec un animal qui suit un régime, » ajoute-t-elle. « Mais tenez bon, votre compagnon devra s'y faire. »

Il faut brûler des calories. Il est essentiel de diminuer les calories pour obtenir une perte de poids, mais il faut aussi en brûler plus. C'est facile, parce que la plupart des chiens adorent les activités qui leur permettent de prendre de l'exercice : marcher, jouer à la balle, ou courir dans le jardin, dit le docteur Banker.

Les chiens détestent les régimes, tout autant que les gens. Il faut surveiller étroitement un chien qui doit perdre du poids, et se méfier des récidives.

Perte de poids

La combinaison d'une vie facile et d'une abondance de nourriture signifie que les chiens prennent du poids presque aussi facilement que les gens. Mais leur en faire perdre est une autre affaire. « Excepté dans le cas de chiens qui suivent un régime, la perte de poids est presque toujours signe de maladie » dit Lynn Harpold.

Les soupçons habituels

Problèmes dentaires. Les vétérinaires ont découvert qu'environ 85 % des chiens de plus de trois ans ont à un certain degré une maladie périodontale, pathologie dans laquelle des bactéries et des substances irritantes se frayent un chemin en dessous des gencives, provoquant ainsi des infections douloureuses et de l'irritation. « Il faut soigner

AU SECOURS !

Puisque la perte de poids peut accompagner des douzaines de maladies internes, allant des parasites jusqu'au cancer, appelez votre vétérinaire dès que vous remarquez que votre chien est plus mince que d'habitude. Bien que le problème puisse être tout simple, certaines parmi les pathologies provoquant un amaigrissement empirent très vite faute de traitement, dit Kenneth Lyon, vétérinaire spécialiste en dentisterie.

cet état pour que l'acte de manger ne devienne pas trop douloureux ; et certains chiens s'abstiennent tout simplement » dit Kenneth Lyon, vétérinaire spécialiste de dentisterie. « D'autres problèmes dentaires, comme une dent cassée ou un abcès, peuvent aussi entraîner cette situation » ajoute-t-il.

Compétition. Même les chiens très faciles à vivre peuvent devenir agressifs quand il s'agit de nourriture. Dans les familles où ils sont plusieurs, il n'est pas inhabituel que l'un d'eux soit à la fois gourmand, dominant, et qu'il vole la ration de ses camarades. La plupart des chiens protègent leur nourriture, mais certains sont timides et s'en iront tout simplement. Au fil du temps, ils perdront donc du poids.

Douleur. Les chiens perdent leur appétit quand ils ne vont pas bien. C'est surtout quand ils sont âgés et ont parfois de l'arthrite ou des problèmes de hanches et d'articulations. Leur douleur les empêche de manger, et même s'ils ont faim, ils peuvent avoir des difficultés à se lever pour aller prendre leur repas.

Stress. « Le rythme rapide de la vie actuelle peut augmenter le stress des chiens, qui ne répondent pas très bien aux changements. Ceux qui sont anxieux et nerveux – parce que leurs maîtres sont plus longtemps absents que d'habitude, par exemple – s'arrêtent parfois de manger » dit le docteur Harpold. Ce type de perte de poids est rarement sérieux, puisqu'ils se remettront à s'alimenter normalement quand tout sera rentré dans l'ordre.

Vie épuisante. « Les nourritures que l'on donne aujourd'hui aux chiens contiennent des éléments nutritifs en abondance, et la majorité d'entre eux ont toutes les calories qu'il leur faut. Mais ceux qui en brûlent beaucoup, comme les chiens de travail, ou les chiennes qui ont une portée, risquent de perdre du poids par carence » dit Kevin O'Neall, vétérinaire. Cependant les programmes nutritionnels doivent être personnalisés, et votre vétérinaire sera le meilleur conseiller.

Diabètes. L'hormone appelée insuline est responsable du transport des sucres contenus dans l'alimentation jusque dans les cellules du corps. Les chiens diabétiques ne produisent pas assez d'insuline, ce qui veut dire que, quoi qu'ils mangent, le nombre de calories sera toujours insuffisant.

Faire au mieux

Soins dentaires. « L'idéal pour garder des dents et des gencives saines, c'est de les brosser une ou deux fois par semaine, soit en utilisant une brosse et un dentifrice pour chiens, soit en frottant leur surface avec un morceau de gaze » dit Ehud Sela, vétérinaire. En humidifiant la gaze avec du bouillon de bœuf ou de poule, on encouragera le chien à rester calme pendant cette intervention.

Mais une manière plus facile de garder des dents saines, c'est de donner des croquettes. Contrairement aux nourritures en boîtes, qui collent aux dents, les croquettes sont légèrement abrasives, et opèrent une sorte de nettoyage à l'occasion de chaque repas. En plus, vous pouvez acheter des jouets « spécifiques dentaires » ; ils ont des reliefs qui aident à faire disparaître les dépôts sur les dents chaque fois que le chien les ronge.

Nourrissez les chiens séparément. « Chez certains chiens, l'instinct de dérober de la nourriture est plus fort que leur désir de jouer le jeu. Tout ce que vous pouvez faire pour réduire la compéti-

Les vieux chiens, souffrant d'arthrite, ont souvent du mal à se lever pour aller jusqu'à leur bol. Rapprochez leur nourriture de leur lieu de repos.

tion au moment des repas, c'est de les nourrir séparément » dit le docteur Harpold. Tant que votre chien mangera tranquillement, il aura une chance de reprendre du poids en quelques semaines.

Contrôle du taux de sucre. Les vétérinaires ont découvert que les chiens diabétiques vont en général mieux quand ils consomment plusieurs petits repas par jour plutôt qu'un gros. Votre vétérinaire vous recommandera peut-être aussi de donner à votre chien une alimentation plus riche en fibres que celles des marques standards. L'abondance de fibres régule et facilite l'absorption des sucres dans le flux sanguin, en évitant une chute brutale du taux des sucres.

Apportez-leur leur nourriture. Rien n'est plus triste que de voir un chien essayer de s'avancer péniblement vers son bol à l'heure des repas, et sans succès. Il n'y a pas de traitement contre l'arthrite, mais on peut améliorer cette situation en plaçant la nourriture près du lieu de repos. En outre, les vétérinaires recommandent souvent de surélever leur plat pour que les chiens ne soient pas obligés de se pencher.

Crédits photos et remerciements

(h = haut, b = bas, g = gauche, d = droite, c = centre, C1 = 1re de couverture, C4 = 4e de couverture).
Tous les droits photographiques sont réservés aux sources ci-dessous.

CRÉDITS PHOTOS

Ad Libitum : Stuart Bowey vib, viih, viib, 14b, 18b, 18h, 21b, 22b, 24b, 26b, 28b, 30b, 34b, 36b, 37b, 38b, 39b, 44b, 47h, 48b, 52b, 53h, 54b, 57h, 58b, 60b, 61b, 62b, 65b, 67b, 68b, 69b, 71b, 72b, 73b, 75c, 76b, 77h, 78h, 80h, 82h, 85b, 85b, 87b, 88b, 89b, 91b, 92b, 98b, 99h, 101h, 104h, 107b, 111b, 112h, 113b, 115b, 116b, 117h, 119h, 122b, 123b, 126b, 128c, 134b, 137b, 138b, 138h, 139b, 140b, 141b, 141h, 143h, 144b, 146b, 146h, 152h, 153b, 156h, 158b, 158h, 159b, C4gc, C4bg.

Animal Photography : Sally Anne Thompson 43b.

Auscape International : Gissey-COGIS, 56b ; Hemmeline/Cogis, 161h ; Jean-Michel Labat, 130b ; Lanceau/Cogis, 114h ; Yves Lanceau, 54h, 109h, 121h.

Bill Bachman and Associates : Bill Bachman, 13h, 79h.

Norvia Behling : viiib, 3b, 29h, 41h, 55h, 84h, 145b, 149b.

Bruce Coleman Limited : Adriano Bacchella, 118b, C4hd ; Jane Burton, 46b, 93b, 143b, 154b, C4dc ; Hans Reinhard, 20h.

Davis/Lynn Images : C1

Matt Gavin-Wear : 125b.

Ron Kimball Photography : Ron Kimball, x.

NHPA : Henry Ausloos, 153h ; Yves Lanceau, 74b.

Rodale Images : 95b ; John P. Hamel, 16c.

Dale C. Spartas : 5c, 9b.

Judith E. Strom : 8b, 91h, 97b, 103h, C4hg.

ILLUSTRATIONS

Virginia Gray, 110bd ; **Chris Wilson/Merilake,** 25b, 32bc, 32bg, 33h, 45b, 59b, 72h, 84b, 129h, 133b.

L'éditeur voudrait remercier les personnes suivantes pour leur aide lors de la préparation de cet ouvrage :
Maxine Fernandez ; Tracey Jackson ; Dr Kenneth Lyon ; Dr Paul McGreevy ; Dr Bill Martin ; Pets International ; Denise Rainey ; The Royal Society for the Prevention of Cruelty to Animals, Yagoona, N.S.W., Australia.
Nous voudrions exprimer notre reconnaissance aux personnes suivantes qui ont eu la gentillesse de prêter leurs chiens pour les photos :
Len Antcliff et "Bozie" ; Leigh Audette et "Boss" ; Felicity Bateman et "Bonnie" ; Esther Blank et "Max" ; Sally Blaxland et "Poppy" ; Don Craig et "Sandy" ; Julia Edworthy et "Bingo" et "Lucy" ; Chloe Flutter et "Bob" ; Matt Gavin-Wear et "Amber" ; Kathy Gorman et "Carlo" ; Robyn Hayes et "Patsy" ; Dinah Holden et "Molly" ; Anne Holmes et "Marli" ; Suzie Kennedy et "Eddie" ; Natalie Kidd et "Cisco" ; Michael Lenton et "Jasper" ; Bernadette McCaig et "Samson" ; Paul McGreevy et "Wally" ; Hilary Mulquin et "Cleo" ; Dan Penny et "Jaffa" et "Molly" ; Angela Price et "Bramble" ; Moyna Smeaton et "Tilly" ; Andrea Webster et "Max".

Index

Les folios soulignés renvoient aux encadrés. *Les folios en italique* se rapportent aux illustrations.